Docteur MARTIN MORISSETTE
Cardiologue

AVEC LA COLLABORATION DE

Docteur André BRASSARD
Chirurgien cardiaque

Docteur Jean DAVIGNON
Directeur du Laboratoire de recherches
sur les lipides et l'athérosclérose

Docteur John DYRDA
Cardiologue

Docteur Roger-Marie GAGNON
Cardiologue

Docteur Pierre LAPOINTE
Anesthésiste

Docteur Suzanne LUSSIER CACAN
Assistante en recherches
Institut de Recherches cliniques
Montréal

Docteur John F. MATHIEU
Chirurgien cardiaque

Docteur Yves TESSIER
Cardiologue

Docteur Michel TETREAULT

Docteur J.-L. Guy TREMBLAY
Cardiologue

comment **prendre soin** de votre **cœur**

par 10 médecins

Préface du Docteur Robert Picard

EDITIONS FRANCE-EMPIRE
68, rue Jean-Jacques-Rousseau — 75001 Paris

PREFACE

En trente ans la cardiologie est passée d'une attitude contemplative à une procédure diagnostique active sanctionnée par des thérapeutiques salvatrices. Ces progrès n'ont pas échappé à la connaissance du grand public, largement sollicité par les moyens audiovisuels dont les présentations séduisantes mais fugaces sont souvent mal assimilées et non mémorisées. Les médecins sont donc en devoir de l'éduquer par un enseignement écrit. C'est la démarche qu'ont entreprise dix médecins canadiens de la Fondation du Québec des maladies du cœur sous le titre expressif : « Comment prendre soin de votre cœur ? »

Il est bien évident que les chapitres les plus attractifs sont ceux qui sont consacrés à la chirurgie cardiaque actuelle (pontage aorto-coronarien — remplacement valvulaire — stimulation cardiaque par piles) et à ses perspectives d'avenir (dilatation coronarienne, dissolution d'un caillot intracoronarien, regain de la transplantation cardiaque, cœur artificiel). Les médecins canadiens sont spécialement bien placés pour développer ces sujets, puisque l'Institut Cardiologique de Montréal est un des hauts lieux de la cardiologie mondiale.

Il serait pourtant préférable d'éviter d'avoir recours à la virtuosité chirurgicale par la prévention des maladies cardiovasculaires. Il n'est pas de meilleure démonstration de son efficacité que la quasi disparition, dans les pays à haut niveau de vie, des cardiopathies rhumatismales (altérations des valvules du cœur consécutives au rhumatisme articulaire aigu contracté dans l'enfance) qui constituaient naguère un fléau de santé. A telle enseigne que nos confrères canadiens n'ont pas jugé bon de leur consacrer un chapitre.

Si bien que, implicitement, en 1983 « les maladies du cœur » de l'âge adulte et du troisième âge désignent la souffrance cardiaque consécutive à l'athérosclérose des artères coronaires (cardiopathie ischémique) ou à l'hypertension artérielle (cardiopathie hypertensive) les deux étant souvent réunies sous le terme général de cardiopathie artérielle. Elle est magistralement analysée depuis la génèse anatomique de l'athérosclérose, dans laquelle le rôle du cholestérol et de ses différents composants (HDL « le bon » et LDL « le mauvais ») est clairement expliqué, jusqu'à son expression clinique : l'angine de poitrine et l'infarctus du myocarde. Arrivée à maturité cette maladie n'est pas une déchéance, mais une étape dans l'existence de l'individu qui, au prix de quelques règles hygiéno-diététiques de bon sens et avec l'aide de médicaments maintenant actifs (dont la liste s'allonge sans cesse avec les découvertes de la recherche pharmacologique) se réhabilitera dans sa vie familiale et socio-professionnelle.

Malheureusement ce qui précède n'est valable que pour les rescapés de la maladie coronarienne. Les ravages des maladies cardiovasculaires sont en effet effrayants : 40 % des décès dans les pays occidentaux sont dûs à des causes cardiovasculaires (toutes localisations de l'athérosclérose confondues : cardiaques, cérébrales, rénales, et autres). L'athérosclérose coronarienne revendique 60 % de ces décès. Or, cette athérosclérose coronarienne est singulièrement dangereuse par son évolution insidieuse : 10 % seulement des individus qui en sont atteints souffrent d'angine de poitrine; 90 % se croient en bonne santé. La vie de ce dernier groupe majoritaire est menacée presque autant que celle des malades. 40 % des décès se produisent en effet par mort subite sans qu'aucune assistance médicale puisse leur être portée dans 95 cas sur 100. Il survient en France 1 mort subite toutes les 25 minutes, autrement dit 20 000 par an. Ces chiffres soulignent l'importance du chapitre consacré à la réanimation cardio-respiratoire élémentaire dont les manœuvres devraient être connues de tous.

La tristesse de ce bilan doit inciter à la persévérance de la politique de prévention qui a déjà fait ses preuves : aux U.S.A., entre 1968 et 1976, la mortalité globale par athérosclérose coronarienne a diminué de 20,7 %. Pour la première fois la maladie coronarienne a reculé. Dans cette hécatombe, les Français sont relativement privilégiés. Sur les 22 pays de l'O.C.D.E. ils occupent la vingtième place avec un taux de mortalité coronarienne de 200 pour 100 000 hommes contre 500 en Finlande qui est en tête. La prévention repose sur l'élimination des facteurs de risque. On désigne ainsi des conditions dont les études statistiques ont prouvé le couplage avec l'athérosclérose coronarienne. Ils sont essentiellement au nombre de trois :

— Le tabagisme dont l'arrêt est plus facile à prescrir qu'à faire respecter.

— L'hypertension artérielle : il faut savoir que 20 % des Français sont hypertendus. Il est consternant d'observer que 1 hypertendu français sur 5 ne se traite pas avec la rigueur nécessaire à l'efficacité du traitement.

— L'hypercholestérolémie souvent induite par un bilan nutritionnel excédentaire et associée à l'obésité et au diabète.

En définitive, on doit féliciter l'équipe canadienne

d'avoir rédigé un ouvrage de diffusion des connaissances médicales répondant aux questions pratiques posées couramment par les malades et leur entourage au cours de l'exercice cardiologique quotidien. Hommage doit leur être rendu de convaincre le lecteur — fut-il médecin — du bien fondé de la lutte préventive. Mais danger ne signifie pas accident. Chacun est libre d'avoir le goût du risque. Du moins doit-il en être averti et conscient.

Docteur Robert PICARD
Membre Titulaire de la Société Française de Cardiologie Professeur au Collège de Médecine des Hôpitaux de Paris, Médecin Chef de Service à l'Hôpital de Vaugirard

Chapitre 1

LE COEUR: SA STRUCTURE ET SON FONCTIONNEMENT

Docteur Roger-Marie Gagnon

ANATOMIE, FONCTIONNEMENT ET CONTRÔLE

ANATOMIE DU COEUR

William Harvey fut le premier, en 1616, à réaliser et à décrire le rôle du coeur et des vaisseaux sanguins. Le père de la cardiologie écrivit alors: «Le sang circule dans le corps en un cercle continu. L'action ou la fonction du coeur est d'assurer cette circulation en pompant. C'est la seule raison du mouvement et du battement du coeur.»

Le coeur est situé dans le thorax (*figure 1*) entre les deux poumons. Il est protégé par le sternum et les côtes. Les deux tiers du coeur sont localisés à gauche.

La pointe cardiaque est située normalement juste au-dessus du sein gauche. Le poids du coeur varie beaucoup selon l'âge, le sexe et la taille (poids moyen: 250 à 300 g ou 9 à 12 onces). Pour bien comprendre le fonctionnement du coeur, nous verrons d'abord son anatomie c'est-à-dire les structures qui le composent.

Les quatre cavités cardiaques

Le coeur est divisé en quatre cavités (*figure 2*): les deux oreillettes (droite et gauche) et les deux ventricules (droit et gauche). Les cavités droites sont séparées des cavités gauches par des cloisons appelées *septum auriculaire* séparant les deux oreillettes et *septum ventriculaire* séparant les deux ventricules. Ces deux cloisons sont normalement étanches et, à moins d'une communication anormale, elles empêchent un mélange de sang d'un côté à l'autre du coeur: droit-gauche.

L'oreillette droite reçoit le sang veineux et souillé qui revient de tout le corps par deux grosses veines appelées les veines caves inférieure et supérieure.

Le ventricule droit: En se contractant, le sang qui vient de l'oreillette droite est poussé vers l'artère pulmonaire et les deux poumons.

L'oreillette gauche reçoit du sang purifié et chargé d'oxygène venant des deux poumons par les veines pulmonaires.

Le ventricule gauche: Sa paroi plus épaisse lui permet de se contracter plus vigoureusement; il doit chasser le sang oxygéné venant de l'oreillette gauche dans l'aorte vers tout le corps.

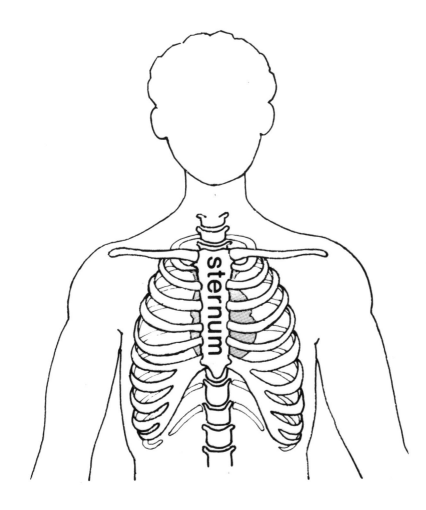

Figure 1
Le coeur est situé dans le thorax entre les deux poumons.
Il est protégé par le sternum et les côtes.

Les valves

Une circulation sanguine efficace et harmonieuse a besoin d'un système de portes qui s'ouvrent et se ferment en alternance. Ces portes s'appellent des *valves* (*figures 2 et 3*) et elles sont au nombre de quatre. Deux valves séparent les oreillettes de leur ventricule respectif: la *valve tricuspide* sépare l'oreillette droite du ventricule droit. Elle est formée de trois cupules (tricuspide) qui s'attachent au muscle ventriculaire droit. Lorsque l'oreillette droite est remplie de sang venant des veines caves et que la pression augmente, la valve tricuspide s'ouvre pour laisser passer le sang vers le ventricule droit. Lorsque le ventricule droit est rempli, lui aussi se contracte et la valve tricuspide se ferme de telle sorte que le sang ne peut qu'aller vers l'artère pulmonaire. Évidemment un défaut de fermeture de cette valve peut permettre au sang de circuler à rebours, c'est-à-dire de «régurgiter» dans l'oreillette droite. Du côté gauche, la *valve mitrale* sépare l'oreillette gauche du ventricule gauche et joue un rôle semblable à la valve tricuspide. Elle est formée de deux feuillets et ressemble à une mitre, d'où son nom. Lorsqu'elle est fermée, le ventricule gauche ne peut pomper son sang que vers l'aorte.

Deux autres valves séparent les deux ventricules des deux artères vers lesquelles ils pompent leur contenu. *À droite, la valve pulmonaire* sépare le ventricule droit de l'artère pulmonaire: lorsque le coeur se contracte, la valve pulmonaire s'ouvre et le sang est chassé vers l'artère pulmonaire. Quand le ventricule droit est vidé, la valve pulmonaire se ferme pour empêcher le sang de revenir de l'artère pulmonaire vers le ventricule droit. *Du côté gauche, la valve aortique* joue un rôle semblable: elle s'ouvre lorsque le ventricule gauche est prêt à chasser le sang vers l'aorte et tout le corps. Lorsque la contraction du ventricule gauche est terminée, la valve aortique se ferme et empêche le sang de refluer vers le ventricule gauche.

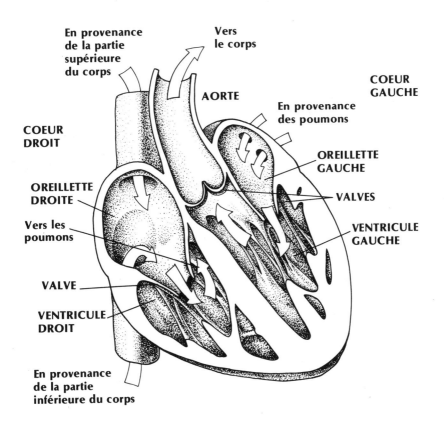

Figure 2 L'intérieur du coeur

Source: Medtronie Courants: Les grandes lignes de la stimulation cardiaque, 1974, page 15.

Les artères coronaires (*figure 3*)

Les artères coronaires ont pour rôle de fournir au coeur l'oxygène et la nutrition nécessaires à son fonctionnement. On distingue deux artères coronaires venant de l'aorte juste au-dessus de la valve aortique: *la coronaire gauche* se divise en deux branches principales: la descendante antérieure et la circonflexe qui nourrissent la face antérieure et latérale du coeur. *La coronaire droite* nourrit le ventricule droit et la partie inférieure du coeur. Les veines coronaires retournent le sang vers l'oreillette droite.

Le péricarde

Le coeur est entouré d'une mince membrane divisée en deux feuillets. L'intérieur de ces deux feuillets constitue la cavité péricardique dans laquelle une faible quantité de liquide sert en quelque sorte de lubrifiant au coeur.

FONCTIONNEMENT CARDIAQUE

Le coeur est essentiellement un muscle qui fonctionne comme une pompe. Il se remplit et se vide en alternance. Lorsqu'il se remplit, le muscle est dans une phase de relâchement appelée la *diastole*; lorsqu'il chasse son contenu, il est en phase de contraction appelée *systole*. Systoles et diastoles se succèdent d'une façon organisée pendant toute la vie de l'individu.

Le volume de sang pompé par le coeur s'appelle le débit cardiaque. À chaque minute le coeur d'un adulte au repos éjecte environ 6 litres de sang ou un gallon et demi. Au cours d'un exercice intense, ce débit cardiaque peut atteindre jusqu'à

14

25 litres ou six gallons. Si le coeur au repos se contracte 70 fois par minute, il pompe donc 80 ml (3 onces) de sang par battement.

LE CONTRÔLE CARDIAQUE

Un peu comme un moteur d'automobile, le coeur est contrôlé par un système électrique qui assure la régularité de sa contraction. Son système naturel de contrôle électrique est représenté par une structure microscopique située dans l'oreillette droite et se nomme: *le noeud sinusal*. Ce noeud sinusal envoie des impulsions électriques à intervalles réguliers aux quatre cavités cardiaques. Ces quatre cavités se contractent et se relâchent à tour de rôle à la demande du noeud sinusal qui joue en quelque sorte le rôle de chef d'orchestre. Cependant le noeud sinusal n'est pas le seul à contrôler l'activité cardiaque; en effet, il est lui-même sous l'influence du système nerveux et de certaines substances circulantes qui peuvent commander au noeud sinusal de ralentir ou d'accélérer la vitesse avec laquelle il envoie ses impulsions électriques. Ainsi, lors d'un exercice ou d'une émotion, par exemple, le système nerveux stimule le noeud sinusal qui, à son tour, commande au coeur d'augmenter sa fréquence de contractions de sorte que le rythme cardiaque peut augmenter, par exemple, de 60 à 120 battements par minute, permettant une augmentation du débit de sang. Grâce à cette interraction avec le système nerveux, le coeur peut s'adapter aux besoins de l'organisme.

LA CIRCULATION

LA CIRCULATION PÉRIPHÉRIQUE

Nous avons vu que le ventricule gauche éjectait le sang oxygéné dans l'aorte. L'aorte est l'artère principale par laquelle le coeur peut pomper le sang oxygéné à tout le corps. L'aorte se divise en plusieurs branches, chacune étant responsable de nourrir une région déterminée du corps. En périphérie, les artères se divisent en toutes petites branches, les capillaires, où se font les échanges en oxygène et en nutrition. À partir des capillaires, les veines retournent le sang, souillé et pauvre en oxygène, vers l'oreillette droite grâce aux veines caves supérieure et inférieure.

Il existe un moyen simple de connaître l'état de la circulation périphérique: la mesure de la pression artérielle. Cette mesure nous renseigne indirectement sur l'état des artères, la quantité de sang qui circule dans ces artères et la qualité de la pompe cardiaque. En même temps, la prise du pouls nous renseigne sur la régularité du coeur et sa fréquence.

LA CIRCULATION PULMONAIRE

Le sang veineux doit être oxygéné à nouveau. De retour à l'oreillette droite, le ventricule droit le pompe dans l'artère pulmonaire. Celle-ci se divise en deux branches, une pour chaque poumon. Les artères pulmonaires aussi se subdivisent en capillaires. À ce niveau, le sang souillé se purifie et se charge d'oxygène. Il est prêt à quitter le poumon. Le sang est alors retourné à l'oreillette gauche par les veines pulmonaires.

CONCLUSION

La nature a pourvu l'être humain d'un «moteur» d'une très grande complexité mais aussi d'une grande souplesse et fiabilité. Il est capable de fonctionner et de survivre à des conditions de stress parfois inimaginables! Ce qui faisait dire au grand cardiologue, le docteur Paul White: «La maladie du coeur avant 80 ans survient souvent plus par notre faute que par celle de Dieu ou de la nature!»

Chapitre 2

LA MALADIE CARDIAQUE: LA SURVIE ET LE PROGRÈS DES DERNIÈRES ANNÉES

Docteur Pierre Lapointe

Parler des conséquences sur la survie des maladies cardio-vasculaires, ce sera évidemment définir les ravages de ces maladies. On est cependant incomplet si l'on ne présente pas les améliorations marquées de la survie et la baisse significative de la mortalité par maladie coronarienne des toutes dernières années.

LA MALADIE CARDIAQUE: SES CONSÉQUENCES SUR LA SURVIE

Les maladies cardiaques et vasculaires représentent, on l'a souvent répété, la première cause de décès en Amérique du Nord. Elle égale en nombre toutes les autres causes regroupées de décès. En France, la situation est identique *(figure 1)* : les maladies cardio-vasculaires représentent la première cause de décès, surpassant de plus d'un tiers les décès par le cancer et les accidents réunis.

19

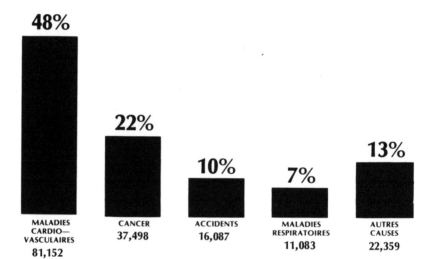

48%

22%

13%

10%

7%

| MALADIES CARDIO— VASCULAIRES 81,152 | CANCER 37,498 | ACCIDENTS 16,087 | MALADIES RESPIRATOIRES 11,083 | AUTRES CAUSES 22,359 |

Figure 1: **Principales causes de mortalité au Canada.**
Valeurs en pourcentage et en chiffres absolus.

PROGRÈS DES DERNIÈRES ANNÉES

Au cours des trente dernières années, la diminution des décès par maladies cardio-vasculaires fut impressionnante. Même si elle demeure globalement la première cause de décès, pour le groupe d'âge 25-44 ans, elle est passée entre 1960 et 1968 de la première à la troisième place. Elle se classe maintenant derrière les accidents et toutes les formes de cancer pour ce groupe d'âge.

Toutes les maladies cardio-vasculaires, en tant que cause de décès, sont en régression. On enregistre une baisse moyenne de 33%. Cette baisse est de près de 90% pour la haute pression et de 20% environ pour les infarctus (*figure* 2).

Cette baisse de mortalité est nettement détectée dans plusieurs pays où les maladies cardio-vasculaires étaient très fréquentes au départ comme aux États-Unis, en Australie et au Canada. Certains pays ont connu pendant cette même période une augmentation marquée de ces maladies: la Roumanie, la Bulgarie et la Pologne, par exemple.

Cette diminution marquée de la fréquence des maladies cardio-vasculaires est responsable de l'augmentation de la survie moyenne dans 80% des cas. Entre 1960 et 1978, l'espérance de vie s'est accrue de quatre ans, passant globalement de 70 à 74 ans. Cette amélioration est à peu près identique pour l'homme et la femme de race blanche

Tableau I
Espérance de vie à la naissance.

	1960	1978
Toute la population	70	74
Homme blanc	66,5	70
Femme blanche	74	78

Les maladies cardiaques et vasculaires ont nettement diminué aux États-Unis, au Canada et au Québec au cours des trente dernières années. La cause exacte de cette diminution n'est pas claire. Elle semblerait attribuable à un meilleur contrôle de nombreux facteurs de risques: la haute pression, la cigarette, le cholestérol et le diabète.

Les progrès sont réels, la victoire demeure encore à venir. Plus que le traitement d'un coeur endommagé ou détruit, le but à long terme devrait être la prévention de la maladie coronarienne précoce et des décès cardiaques prématurés.

Les succès des dernières années fondent l'espérance de nouveaux progrès et encouragent les efforts de la recherche.

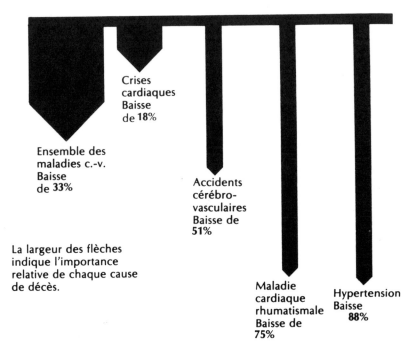

Crises
cardiaques
Baisse
de 18%

Ensemble des
maladies c.-v.
Baisse
de 33%

Accidents
cérébro-
vasculaires
Baisse de
51%

La largeur des flèches
indique l'importance
relative de chaque cause
de décès.

Maladie
cardiaque
rhumatismale
Baisse de
75%

Hypertension
Baisse
88%

Figure 2:

Amélioration de la survie pour les diverses maladies cardio-vasculaires depuis 1953 pour les personnes de moins de 65 ans.

Chapitre 3

LA CIGARETTE ET LES AUTRES FACTEURS DE RISQUE DE MALADIE CARDIAQUE

Docteur Jean Davignon
Docteur Suzanne Lussier-Cacan

Une meilleure connaissance des interactions de l'homme et de son environnement a permis la mise en application de moyens précoces de dépistage et la mise en oeuvre de mesures salutaires d'hygiène préventive. L'addition de vitamine D au lait, par exemple, a pratiquement fait disparaître le rachitisme. Il n'en reste pas moins que si certains franchiront le cap des 80 ans en pleine possession de leurs moyens, d'autres seront fauchés par une crise cardiaque avant d'atteindre 60 ans. Quels sont donc ces facteurs qui, chez un individu en particulier, viennent fausser les statistiques? C'est à cette question que nous allons tenter de répondre.

ATHÉROSCLÉROSE ET MALADIE CARDIAQUE

La maladie, d'une façon générale, résulte de l'interaction entre un agent causal et l'organisme. Pour que la maladie survienne, il faut non seulement que l'agresseur soit présent et actif mais aussi que l'hôte soit susceptible. On peut facilement envisager qu'une bactérie peu virulente soit incapable d'infecter un individu dont les moyens de défense naturels sont puissants. Dans le cas d'une infection, cette lutte entre le microbe et sa victime peut se faire rapidement; en quelques jours, on peut déceler les manifestations de la maladie et entreprendre un traitement efficace à court terme. Dans le cas des maladies dites «dégénératives» comme l'athérosclérose, la situation est plus complexe.

Environ 55% de tous les décès secondaires à des troubles du coeur et des vaisseaux sont attribuables à l'athérosclérose des artères du coeur dites «artères coronaires». Il faut réaliser cependant que cette maladie peut atteindre d'autres artères de gros ou de moyen calibre.

L'athérosclérose est comparable à la rouille qui s'accumule à certains endroits d'une conduite d'eau et parvient éventuellement à la boucher. L'accumulation c'est du cholestérol; la résultante est une sorte de «plaque» dure qui contient une bouillie jaunâtre faite de tissu fibreux, de cellules gorgées de cholestérol et de débris de cellules mortes. On peut même y trouver des dépôts de calcium (calcification) et des cristaux de cholestérol. Le terme «athérosclérose» est donc bien descriptif puisqu'il vient des mots grecs *athérè* et *scléros* qui veulent dire bouillie et dur (*figure 1*).

Contrairement à l'infection, il n'y a pas pour cette maladie une cause unique qu'il suffirait de faire disparaître pour l'enrayer. Une multitude de facteurs interagissent les uns avec les autres et attaquent à différents niveaux, à l'aide d'une variété d'intermédiaires.

L'athérosclérose évolue lentement et silencieusement. Lorsque les symptômes apparaissent, le calibre de l'artère est déjà fortement réduit et l'apport de sang à l'organe ou au membre qu'elle irrigue, considérablement diminué.

La gravité des symptômes dépendra du degré d'obstruction, et les manifestations de cette obstruction dépendront de la localisation dans l'organisme de l'artère ou des artères atteintes. Par exemple, le rétrécissement d'une artère du cerveau conduit à des manifestations neurologiques pouvant aller jusqu'à la paralysie. Un blocage partiel ou complet d'une artère du coeur se manifestera par de l'angine ou un infarctus (voir Chapitre IV). Les symptômes peuvent apparaître plus brusquement si un caillot se forme à un endroit déjà rétréci par l'athérosclérose. On doit donc tenir compte non seulement des facteurs qui favorisent l'évolution de cette plaque, mais aussi de ceux qui prédisposent à la formation du caillot; souvent un même facteur peut agir à ces deux niveaux différents.

Ces notions sont très importantes. Elles impliquent d'une part qu'il est nécessaire de dépister les sujets susceptibles à l'athérosclérose bien avant que les manifestations cliniques n'apparaissent si l'on veut définir des dommages irrémédiables. Elles impliquent aussi, compte tenu de cette évolution lente, que les mesures capables d'arrêter ou de faire régresser les lésions doivent être appliquées de façon durable et soutenue. La figure 2, par exemple, démontre la lenteur d'évolution d'une plaque au niveau d'une artère de la cuisse chez un homme de 45 ans. Ces points seront à retenir lorsque nous discuterons plus loin de la prévention de l'athérosclérose des artères du coeur dites artères «coronaires».

LE RÔLE CENTRAL DU CHOLESTÉROL

Il est important, avant de passer à la notion de facteur de risque, de réaliser pourquoi tant d'emphases ont été mises jusqu'ici sur le cholestérol sanguin. Ceci vient du fait que c'est bien le cholestérol sanguin que l'on retrouve dans la paroi artérielle. De plus, il a été démontré que plus le cholestérol est élevé dans le sang, plus il y a des chances que l'athérosclérose se développe. D'autre part, en ajoutant du cholestérol à l'alimentation de diverses espèces animales, on peut y reproduire l'athérosclérose et ses complications. Ceci est vrai chez les herbivores, comme le lapin, et chez le singe rhésus, une espèce très voisine de l'homme. On a de plus constaté que l'administration de graisses dites «saturées» (beurre, lard, etc.) facilitait la formation de ces lésions.

Il n'est donc pas étonnant que l'on se soit posé tant de questions sur le rôle du cholestérol et des graisses alimentaires, d'autant plus que les études épidémiologiques montraient une relation étroite entre graisses saturées et cholestérol consommés, d'une part, et incidence de la «maladie coronarienne» (angine ou infarctus), d'autre part. On s'est rendu compte que toutes les conditions qui favorisaient l'augmentation du cholestérol sanguin favorisaient aussi le développement de l'athérosclérose. L'histoire naturelle de l'hypercholestérolémie familiale, une maladie héréditaire où les niveaux de cholestérol sanguins sont très élevés, nous donne l'exemple le plus dramatique de cette relation. Les sujets atteints de cette maladie peuvent faire des crises cardiaques bien avant l'âge de 40 ans.

LA NOTION DE LIPOPROTÉINE

Le cholestérol, à lui seul, n'explique pas tout. Il est important de savoir comment il est transporté et ce qui favorise son entrée dans les tissus. Le cholestérol est insoluble dans l'eau; pour qu'il puisse circuler dans le plasma, qui est un milieu aqueux, il doit être lié à des transporteurs, à des protéines et à des phospholipides. Ces associations de graisses et de protéines s'appellent des lipoprotéines.

Dans la circulation, il en existe plusieurs classes et elles ont des rôles différents. Une de ces classes, les lipoprotéines de faible densité ou LDL, favorise l'infiltration des tissus par le cholestérol et le développement de l'athérosclérose. Une autre classe, les lipoprotéines de haute densité ou HDL, a l'effet opposé, c'est-à-dire qu'elle aide à retirer le cholestérol des tissus. D'où la notion de «mauvais cholestérol» (celui des LDL) et de «bon cholestérol» (celui des HDL). C'est le cholestérol lié aux LDL qui est très élevé dans l'hypercholestérolémie familiale que nous avons mentionnée plus haut et c'est celui-là qu'il faut surveiller de près.

On s'est rendu compte que chez les espèces susceptibles d'athérosclérose tels le lapin, le porc et le singe, tout comme chez l'homme, la majeure partie du cholestérol était transportée par les LDL, tandis que chez les espèces plus résistantes, comme le rat et le chien, il était plutôt lié aux HDL. Récemment, on s'est aperçu qu'une composition anormale des lipoprotéines pouvait augmenter la susceptibilité à l'athérosclérose même en présence d'un cholestérol normal. La partie protéique des lipoprotéines dite «apolipoprotéine» aurait un rôle à jouer.

En somme, tous les facteurs qui peuvent favoriser une élévation du «mauvais cholestérol» dans le sang peuvent accroître la susceptibilité d'un individu à faire de l'athérosclérose.

LES FACTEURS DE RISQUE

Ce sont surtout des études conduites sur de grandes populations par les épidémiologistes qui ont permis de mettre en évidence un certain nombre de facteurs qui prédisposent à la maladie coronarienne. Par exemple, on a constaté que dans une population donnée il y a plus de mortalité par crise cardiaque chez les fumeurs que chez les non-fumeurs, chez les gens qui souffrent d'hypertension artérielle que chez les gens qui ont une pression sanguine normale, chez ceux qui ont un cholestérol élevé plutôt qu'un cholestérol bas, etc. Par la suite, des travaux expérimentaux ont été faits pour expliquer comment ces facteurs agissaient et pour établir comment on pouvait se prémunir contre eux. Un inventaire récent chiffre tous les facteurs considérés jusqu'ici au nombre de 246, mais ils n'ont pas tous, bien sûr, la même importance et seulement quelques-uns méritent d'être retenus sur le plan pratique. Certains, comme l'âge et le sexe, sont très importants mais on n'y peut rien changer: plus on vieillit, plus la probabilité de faire de l'athérosclérose augmente. Toutefois la femme, jusqu'à la ménopause, a environ 20 fois moins de chance de faire une crise cardiaque qu'un homme du même âge (5 fois moins entre 45 et 54 ans). D'autres sont représentés par des maladies qui doivent être dépistées et traitées, comme l'hypertension artérielle, le diabète, l'hypercholestérolémie familiale et les autres formes d'hyperlipidémie héréditaire (augmentation du cholestérol et/ou des graisses dans le sang). Enfin, d'autres représentent des habitudes de vie qui, à long terme, peuvent être délétères et que l'on peut corriger avec de la motivation et de la volonté: l'usage de la cigarette, l'obésité, l'excès de graisses saturées ou de cholestérol dans l'alimentation, le manque d'exercice (ou la sédentarité excessive), le stress excessif.

LES FACTEURS PRÉDISPOSANT À L'ATHÉROSCLÉROSE DES CORONAIRES

Plus on cumule de facteurs prédisposants, plus le risque de faire de l'athérosclérose coronarienne est grand et la progression dans ce risque est multipliée à mesure que ces facteurs s'additionnent. Ceci est bien démontré au Tableau 1, page 26. Pratiquement, on doit se poser les questions suivantes:

Usage du tabac

Est-ce que je fume la cigarette régulièrement? Plus de cinq cigarettes par jour? Si je suis un fumeur de pipe ou de cigare, est-ce que j'inhale la fumée? Entre 30 et 50 ans, le fumeur mâle a deux fois plus de chance de faire de la maladie coronarienne que le non-fumeur et le risque s'accroît avec le nombre de cigarettes fumées et avec l'association d'autres facteurs de risque. Fumer augmente le rythme cardiaque, la tension artérielle et l'irritabilité du muscle cardiaque, favorisant ainsi l'apparition de battements irréguliers (arythmies). Fumer fait contracter

les artères pouvant priver de sang des régions déjà
mal irriguées. De plus, fumer augmente le risque de
cancer du poumon. L'inhalation de monoxyde de
carbone en fumant contribue à rendre la paroi artérielle plus vulnérable à l'entrée du cholestérol.

Pression sanguine

Ma pression sanguine est-elle normale? Des
chiffres qui dépassent 160/95 doivent être considérés comme anormaux. Entre un normotendu et un
hypertendu le risque est presque doublé chez
l'homme et presque triplé chez la femme entre 30
et 60 ans. L'élévation de la pression sanguine blesse
la paroi des artères et accélère la progression de
l'athérosclérose; elle impose, de plus, un travail
excessif au muscle cardiaque.

Cholestérol et triglycérides dans le sang

Est-ce que j'ai trop de cholestérol dans le sang?
Est-ce que les autres graisses, les triglycérides, sont
anormalement élevées? Pour le savoir, il est essentiel de les faire mesurer et de préférence à jeun le
matin. Dans la fameuse étude épidémiologique de
la ville de Framingham, MA. où l'on a suivi des
sujets sains pendant plus de 20 ans, on a constaté,
déjà après quatre ans, que ceux qui avaient au
départ un cholestérol inférieur à 225 milligrammes
par décilitre (mg/dl), avaient une incidence de
maladie coronarienne de 20 par 1000. Par contre,
elle était de 122 par 1000 (six fois plus) chez ceux
dont le cholestérol était supérieur à 260. Quelle est
donc la valeur «normale» de cholestérol? Pour sim-
plifier les choses, disons 220 et moins. Il faut comprendre que le cholestérol moyen de notre population nord-américaine qui est de 240, n'est pas

vraiment un cholestérol normal du point de vue de la maladie coronarienne puisque, dans cette population, environ 300 par 100 000 meurent de crise cardiaque chaque année. Chez le Japonais, la valeur moyenne est voisine de 150 et, dans cette population, seulement 60 par 100 000 meurent de crise cardiaque par an. Pour être vraiment protégé, il faudrait avoir un cholestérol voisin de celui du Japonais et le choix de 220 mg/dl comme limite supérieure mériterait sans doute d'être révisé.

Le risque associé à une élévation des triglycérides (valeurs supérieures à 150) est moindre que celui qu'on attribue à l'élévation du cholestérol. Toutefois il existe certaines hyperlipidémies héréditaires où l'élévation des triglycérides comporte un risque plus grand. Souvent le contexte familial aidera à déterminer si l'on doit se soucier de niveaux élevés que l'on observe.

Histoire familiale

Y a-t-il une forte incidence de crise cardiaque, de mort subite, d'angine[1] de paralysie, de gangrène des membres inférieurs, de chirurgie sur les artères dans ma famille? Ces «problèmes vasculaires» surviennent-ils précocement (avant plutôt qu'après 55 ans)? Si oui, il est possible qu'une maladie qui prédispose à l'athérosclérose soit présente dans ma famille et que j'en aie hérité: haute pression, diabète, cholestérol élevé. Si, au contraire, mes ancêtres, mes oncles, mes tantes dépassent l'espérance de vie moyenne et meurent au-delà de 80 ans, c'est beaucoup plus rassurant.

----

1. Angine de poitrine ou Angor.

Alimentation et exercice

Est-ce que je consomme un excès de calories, de graisses saturées, de cholestérol? Si mon poids dépasse le poids optimum, il est probable que je consomme trop de calories en général sous forme de sucreries, de graisses ou d'alcool. Si je suis friand de graisse animale, de produits laitiers et de jaunes d'oeufs, il est possible que cela contribue à élever mon cholestérol. Si par surcroît je suis sédentaire, je risque de prendre de l'embonpoint et même de devenir obèse. L'obésité en soi n'est pas un facteur de risque, mais elle s'accompagne souvent d'autres éléments qui, eux, constituent des facteurs de risque: pression sanguine plus élevée, tendance au diabète et graisses élevées dans le sang (hypercholestérolémie).

En somme, pour savoir si l'on se classe parmi les sujets susceptibles d'athérosclérose, il faut accorder une attention particulière au contexte familial, tenir compte de l'excès de poids, voir le médecin pour qu'il vérifie tension artérielle, cholestérol et triglycérides sanguins. Il faut de plus faire l'inventaire de ses habitudes de vie, en particulier l'usage du tabac, l'alimentation et l'exercice. Lorsqu'il y a du diabète dans la famille et que l'on est obèse, le médecin demandera sans doute de mesurer le sucre dans le sang, à jeun et après l'ingestion du sucre, afin de déceler tôt cette maladie. Une fois le bilan fait, on appliquera les mesures qui s'imposent et qui sont détaillées au chapitre VIII.

Figure 1:

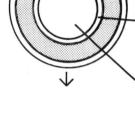

A

Adventice:
couche mince externe faite de tissu de soutien
et de graisse

Média:
partie médiane faite de couches concentriques
de cellules musculaires lisses

Intima:
partie interne constituée par une couche de
tissu élastique (limitante élastique interne),
un espace virtuel, et tapissée d'une couche de
cellules plates (l'endothélium)

Lumière:
espace où circule le sang

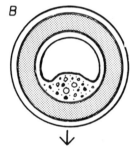

B

Plaque jeune
accumulation de cholestérol dans l'intima,
prolifération de cellules gorgées de
cholestérol, formation de tissus fibreux,
fragmentation de la limitante élastique,
rétrécissement de la lumière

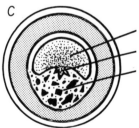

C

Plaque avancée et caillot

caillot

ulcération de la plaque

dépôts de calcium

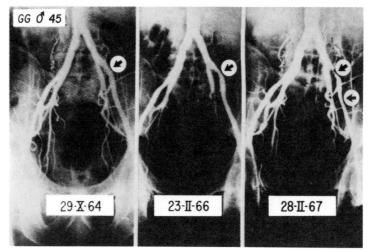

Figure 2

Tableau I
Effet cumulatif de l'hypercholestérolémie,
l'hypertension et de l'usage de la cigarette

Nombre de facteurs de risque	Première crise cardiaque *	Mort subite *	Infarctus fatal *
0	20	7	13
1	48	13	23
2	90	30	44
3	171	42	82

* Taux par 1000 en 10 ans chez 7 342 hommes âgées de 30 à 59 ans au début de
l'étude.

Chapitre 4

ANGINE DE POITRINE ET INFARCTUS DU MYOCARDE

Docteur Yves Tessier

L'angine de poitrine et l'infarctus du myocarde sont des manifestations étroitement liées de la maladie coronarienne. Définissons tout d'abord les termes.

L'angine de poitrine est le signal avertisseur d'une souffrance cardiaque se manifestant par une douleur dans la poitrine. Cette douleur survient à l'effort ou à l'émotion et est soulagée par le repos ou par une médication à base de nitroglycérine. Certains l'appelleront angor, angor d'effort, d'autres, insuffisance coronarienne; ce sont des synonymes. Si la souffrance est plus élevée, il résultera un dommage irréversible au cœur : c'est l'infarctus du myocarde. La thrombose coronarienne, la nécrose du myocarde, la crise cardiaque sont autant de synonymes. La douleur de l'infarctus pourra ressembler à celle de l'angine, mais elle sera beaucoup plus sévère.

Une revue des mécanismes sous-jacents à l'angine et à l'infarctus aidera à comprendre ces deux maladies. En vous référant au chapitre 1, vous ver-

rez que le coeur est une puissante pompe alimen-
tée par les artères coronaires. Lors d'un effort ou
d'un équivalent comme l'émotion, le rythme cardiaque s'accélère, la tension artérielle monte et le
muscle cardiaque se contracte plus énergique-
ment. Pour y arriver, le coeur a besoin de plus
d'oxygène et de substances nutritives. Ceci s'effectue par une augmentation du débit sanguin dans les
artères coronaires. Normalement, cette adaptation
est inconsciente et est limitée par notre degré de
conditionnement physique. Une fatigue et un
essoufflement normal nous aviseront que nous
avons atteint cette limite.

Une machine aussi sophistiquée peut se détra-
quer. Voyons comment. Le principal dérangement
se produit au niveau des artères coronaires elles-
mêmes. Celles-ci se rétrécissent et empêchent ainsi
le flot sanguin d'augmenter lors d'un effort. L'athérosclérose est la grande responsable de ce rétrécissement et durcissement des artères et peut être
comparée à une accumulation de rouille (dépôt de
graisses et de calcium) à l'intérieur de tuyaux (les
artères) (*figure 1*).

ANGINE DE POITRINE

D'autres mécanismes peuvent expliquer une
souffrance du muscle cardiaque et, consécutive-
ment, de l'angine de poitrine. L'anémie est une
diminution des globules rouges. Or, comme les
globules rouges transportent l'oxygène, moins de
globules rouges égale moins d'oxygène au coeur.
L'anémie pourra donc causer de l'angine de poitrine. L'hypertension artérielle (haute pression)
crée un besoin constant de contractions cardiaques
plus énergiques et augmentera les besoins d'oxy-

gène du myocarde. L'hypertension artérielle pourra elle aussi favoriser l'angine.

Quelques mots d'une des découvertes des dernières années: *le spasme coronarien*. Jusqu'à récemment, on concevait les artères coronaires comme des tuyaux, c'est-à-dire des conduits rigides. La réalité est différente. Une artère coronaire saine est réactive, c'est-à-dire qu'elle peut se dilater et se contracter. Il pourra cependant arriver qu'elle se contracte outre mesure: c'est le spasme coronarien. Ce mécanisme joue certainement un rôle dans certaines formes d'angine comme l'angine de repos, l'angine nocturne, l'angine accélérée dont nous reparlerons plus loin.

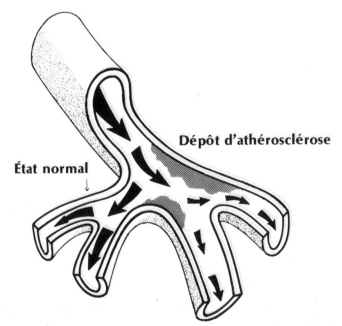

Dépôt d'athérosclérose

État normal

Figure 1
Les dépôts d'athérosclérose rétrécissent progressivement la lumière de l'artère et limite l'apport de sang au muscle cardiaque.

Source: *Vivre après l'infarctus*, DSC de l'hôpital de l'Enfant-Jésus.

Facteurs de risque

Il y a sûrement lieu de rementionner les facteurs de risque importants (Chapitre III): diabète, tabagisme, dyslipidémie et hypertension artérielle. Le tabac, par la nicotine, agit au niveau de la musculature de l'artère coronaire et aggrave l'angine par un spasme coronarien. Également, le monoxyde de carbone contenu dans la fumée du tabac et, par la suite, dans le sang du fumeur compétitionne avec l'oxygène du globule rouge; il diminue la quantité d'oxygène transporté avec les conséquences faciles à concevoir. Les facteurs de risque réunis favorisent la voie commune finale de l'athérosclérose, grande responsable de l'angine et, disons-le tout de suite, de l'infarctus du myocarde.

En résumé, l'angine de poitrine est la résultante d'un déséquilibre entre la demande et l'apport d'oxygène, déséquilibre créé et entretenu par différents mécanismes.

Symptômes de l'angine

Revenons aux symptômes, c'est-à-dire aux manifestations de l'angine. Lorsque le coeur souffre de ce déséquilibre entre la demande et l'apport d'oxygène, il envoie un signal d'alarme: la douleur (figure 2). Cette douleur est généralement sous forme d'étreinte, de pression ou de brûlure au centre de la poitrine. Elle peut s'étendre à l'épaule, au bras, au cou ou à la mâchoire. L'arrêt de l'effort, la disparition de l'émotion ou la cessation de tout autre facteur responsable du déséquilibre entre la demande et l'apport d'oxygène entraîneront une disparition de la douleur.

Figure 2
Le symptôme le plus fréquent d'un malaise cardiaque est une douleur dans la poitrine, le plus fréquemment une pesanteur pouvant s'accompagner:

— de sudation
— de nausée et de vomissement
— d'essoufflement
— de sensation de faiblesse

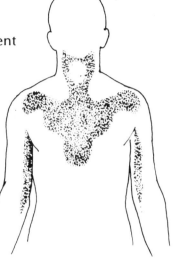

Traitement

Comment le médecin arrivera-t-il au diagnostic de l'angine? Le meilleur moyen est, sans contredit, le questionnaire. En face de la douleur typique décrite au paragraphe précédent, le diagnostic s'impose. Dans d'autres circonstances où les malaises ne sont pas aussi caractéristiques, il faudra faire appel à des moyens d'investigations techniques. Le plus utilisé est l'épreuve d'effort. Elle consiste à provoquer un effort le plus important possible en se servant d'un tapis roulant ou d'une bicyclette. Cette épreuve se fait toujours sous la surveillance d'un médecin qui, en plus d'évaluer les symptômes, vérifiera la tension artérielle et enregistrera l'électrocardiogramme au cours de l'effort. L'interprétation tient donc compte de plusieurs facteurs.

Tout dernièrement, les radio-isotopes sont venus raffiner ce test. Une injection de substance radio-active est effectuée au cours de l'effort. Cette substance se fixera sur le myocarde normalement vascularisé seulement. Une caméra sensible aux radiations permettra de localiser les zones de défauts d'irrigation sanguine. Ce test est cependant coûteux et réservé aux cas litigieux.

Il faut noter que le seul électrocardiogramme de routine dit de « check up » ne permet pas le plus souvent de déceler l'angine de poitrine.

La base du traitement de l'angine repose dans le rétablissement de l'équilibre entre la demande et l'apport d'oxygène. Pour ce faire, il existe différents médicaments et plusieurs moyens pour faire cesser la crise ou la prévenir.

Le plus connu de ces traitements, c'est la NYTRO-GLYCERINE ou TNT. C'est la fameuse « petite-pilule-blanche-à-mettre-sous-la-langue ». Cette médication a plusieurs effets dont les plus connus sont de dilater les artères et de diminuer le travail du cœur pour rétablir l'équilibre demande-apport d'oxygène. Cette médication a certaines autres propriétés et doit être prise et conservée selon les directives du médecin et du pharmacien. Ordinairement, elle soulage rapidement la crise. Si la douleur n'est pas soulagée par un comprimé de TNT après cinq minutes d'attente, mettez-en un deuxième sous votre langue et demeurez tranquillement assis, le temps que cette seconde pilule fasse son effet. Si, malgré cela, la douleur persiste et demeure inchangée, il ne sert à rien d'attendre plus longtemps. Vous devez alors vous faire conduire à la clinique d'urgence la plus proche de l'endroit où vous êtes. Il existe d'autres formes de nitroglycérine dont l'action est plus longue et qui pourront aider à prévenir les crises d'angine (vasodilatateurs-nitros).

Les BÊTA-BLOQUEURS[1] sont une autre classe de médicaments agissant à différents points du déséquilibre demande-apport d'oxygène. On s'accorde à dire qu'ils ralentissent la fréquence cardiaque et diminuent la tension artérielle. Si vous vous souvenez, ces deux derniers facteurs augmentent la demande d'oxygène du coeur. Les bêta-bloqueurs permettront un effort plus important parce que la fréquence cardiaque et la tension artérielle augmenteront moins rapidement lors de cet effort.

Une nouvelle classe de médicaments vient d'apparaître sur le continent nord-américain: les BLOQUANTS CALCIQUES[2]. Ces médicaments sont grossièrement des relaxants de la cellule musculaire. Par cette action, ils sont efficaces dans la prévention du spasme coronarien et, probablement, dans d'autres types d'angines.

Le traitement spécifique des maladies mentionnées s'impose: la correction de l'anémie, de l'hypertension artérielle ou de toute autre condition susceptible d'amener ce déséquilibre.

L'angineux doit nécessairement cesser de fumer: ce qui se comprend facilement compte tenu de ce que nous avons expliqué précédemment.

Le froid des hivers cause des problèmes à tous et beaucoup plus à l'angineux. Ce froid multiplie les effets de l'effort de sorte que l'angine apparaît beaucoup plus facilement lors de

1. Ou B-Bloquants.
2. Ou inhibiteurs calciques.

l'effort au froid. Il faudra donc éviter de marcher, de forcer, de pelleter au froid. Le port d'un foulard ou d'un masque permettant de préréchauffer l'air inspiré aidera à diminuer l'angine.

On ne saurait trop insister sur l'alimentation, en particulier sur la correction des anomalies des lipides (Chapitre V) et de l'obésité. L'effort de transporter et de nourrir une dizaine ou une vingtaine de kilos continuellement n'est sûrement pas recommandable pour un coronarien.

L'effet du conditionnement permettant d'effectuer un même travail avec moins d'oxygène sera revu plus loin.

Il pourra arriver que malgré un traitement adéquat, l'angine devienne plus sévère. L'angine pourra survenir pour un effort plus léger, plus souvent, la nuit, au repos. À ce moment, on dit que L'ANGINE EST ACCÉLÉRÉE OU INSTABLE. Le traitement nécessite alors l'hospitalisation. Le médecin réexaminera son patient pour essayer de découvrir si d'autres facteurs ne se sont pas joints aux précédents. La médication sera à réviser et à augmenter au besoin. Si, malgré cela, l'angor persiste, la coronarographie s'impose. Il s'agit d'un examen (Chapitre IV) permettant de visualiser les artères coronaires. Il pourra arriver que cet examen mette en évidence des lésions sérieuses à l'intérieur de un ou de plusieurs vaisseaux. Dans certains cas, une intervention chirurgicale est possible voire même nécessaire. C'est le pontage aorto-coronarien ou la dilatation coronarienne (Chapitre IX).

Voilà donc ce qu'est l'angine de poitrine. Voyons maintenant l'infarctus du myocarde.

INFARCTUS DU MYOCARDE

L'infarctus du myocarde est la résultante d'une souffrance beaucoup plus sévère qu'un simple déséquilibre de l'apport et de la demande d'oxygène. Cette fois-ci, le déséquilibre est total. L'obstruction prolongée du flot sanguin d'une artère coronaire cause l'infarctus du myocarde.

Comme nous l'avons fait pour l'angine, nous verrons les principaux mécanismes, symptômes et traitements de l'infarctus du myocarde.

L'infarctus du myocarde résulte de l'obstruction prolongée du flot sanguin dans une des artères coronariennes. La partie du muscle cardiaque qui ne reçoit plus de sang se dégradera, «se nécrosera», progressivement au cours des minutes et des heures suivantes pour aboutir à une perte de fonction de cette partie du coeur. Selon l'étendue de l'infarctus, la partie non atteinte du coeur pourra compenser pour cette perte et permettra la survie du malade infarcisé.

Les causes précises de l'obstruction sont mal connues. Les théories les plus acceptées sont celles d'une thrombose (sorte de bouchon) dans un vaisseau déjà rétréci et durci par l'athérosclérose. D'autres ont fait appel à un spasme. D'autres encore à l'embolie de substances venant de la circulation.

Facteurs de risque

Les facteurs de risque doivent être à nouveau mentionnés car on les retrouve agissant sûrement dans l'infarctus du myocarde, cependant selon des mécanismes encore mal identifiés. Un prix Nobel

Tableau I   Différence entre l'infarctus et l'angine

	INFARCTUS	ANGINE
siège et irradiation de la douleur	Dans la poitrine, épaule, bras, mâchoire	Dans la poitrine, épaule, bras, mâchoire
intensité	Très intense	Moins intense
durée	Plus de trente (30) minutes	Moins de vingt (20) minutes
symptômes associés	Transpiration, nausées, vomissements	Aucun
soulagement	Nitroglycérine peut soulager temporairement. Narcotiques nécessaires	Nitroglycérine
électrocardiogramme	Modification significatrice	Peu de modifications

de médecine attend le découvreur du véritable mécanisme!

Symptômes de l'infarctus

Les modes de présentation de l'infarctus sont très variés. L'infarctus peut survenir de façon presque imperceptible et être facilement confondu avec une simple indigestion. D'autre part, la présentation habituelle est une douleur violente, angoissante, oppressante au niveau de la poitrine pouvant se propager aux bras et au cou. La plupart du temps, cette douleur s'accompagnera de nausées, de vomissements, de transpiration. La douleur de l'infarctus dure plus longtemps que celle de l'angine, c'est-à-dire plus de trente (30) minutes. Elle n'est pas soulagée par le repos ou l'est partiellement par la nitroglycérine (voir tableau).

D'autres modes rares de présentation de l'infarctus sont également rencontrés. Il peut s'agir de la perte de conscience. Toutes les pertes de conscience ne sont pas dues à l'infarctus. Mais devant une perte de connaissance sans cause évidente, le médecin doit penser à l'infarctus. Une crise aiguë d'essoufflement peut également être la résultante de l'infarctus. Malheureusement, il arrive souvent que l'infarctus du myocarde soit trop grave et entraîne rapidement un arrêt brutal du coeur.

C'est la mort subite tant redoutée. La seule consolation pour l'entourage, c'est de savoir que ce genre de mort n'est pas douloureux. Ceux qui ont pu être réanimés, d'après notre expérience, n'en gardent pas de souvenirs ou seulement une impression vague d'étourdissements. Les cas de bien-heureuse vision de l'au-delà ou de la vie après la vie sont rares !

Traitement

Devant un tel tableau, le médecin se servira d'examens de laboratoire pour un diagnostic précis et définitif de l'infarctus du myocarde. Le premier de ces examens est l'électrocardiogramme. Celui-ci renseigne sur la localisation, l'étendue de l'infarctus et les possibles complications du rythme cardiaque. Une radiographie du coeur l'aidera à surveiller la présence de défaillance cardiaque (gros coeur) et, éventuellement, d'oedème pulmonaire (eau sur les poumons). Des prises de sang viennent compléter le diagnostic. Lorsque les cellules cardiaques meurent, elles libèrent leur contenu, en particulier des enzymes, dans la circulation sanguine. Le dosage de ces éléments aidera au diagnostic. Très récemment, l'injection de radio-isotopes ayant la propriété de se fixer sur les infarctus a permis d'être encore plus précis dans le diagnostic. Cependant, cette méthode est onéreuse et elle est réservée à des cas particuliers.

Les principes du traitement se basent sur le fait que les complications surviennent surtout dans les premières heures et que, par la suite, la cicatrisation de l'infarctus du myocarde prend de six (6) à douze (12) semaines. Connaissant ceci, les malades infarcisés sont regroupés dans des unités spéciales appelées unités coronariennes ou unités de soins intensifs. Dans ces unités, un personnel médical aidé d'un appareillage de surveillance à distance et entraîné à intervenir rapidement a permis de réduire significativement la mortalité attachée aux complications des premières heures.

La douleur est soulagée par des antalgiques comme la morphine. Un sérum est mis en place pour permettre l'administration rapide de médicaments en cas d'urgence. L'oxygène est administré de routine. D'heure en heure et de jour en jour, la situation est réévaluée en vue de déceler toute complication et d'y remédier le plus rapidement possible. Sans entrer dans les détails techniques, les principales complications se situeront au niveau du rythme cardiaque, du fonctionnement du cœur, de l'enveloppe du cœur, des valves cardiaques.

À la sortie de l'unité coronarienne ou des soins intensifs, la seconde phase du traitement consiste en une reprise progressive de l'activité. Il n'y a pas si longtemps, les médecins prescrivaient trois (3) mois de repos complet après un infarctus. Aujourd'hui, la reprise de l'activité est plus précoce et permet un retour plus rapide à la vie normale. Cette reprise sera graduelle et par étape, en fonction de la rapidité de la guérison individuelle. Compte tenu de l'étendue et du rythme de la guérison d'un infarctus, il pourra arriver que cette phase de repos soit plus ou moins prolongée.

D'autres complications peuvent également survenir et c'est pendant cette phase que le médecin pourra prescrire une médication. Également, une coronarographie pourra être pratiquée pour étudier les dommages causés par l'infarctus. Une opération pourra alors être proposée.

Le traitement ne se termine pas à la sortie de l'hôpital. Certains vont jusqu'à dire qu'il ne fait que débuter.

Chapitre 5

LA PRÉVENTION
DES MALADIES CARDIAQUES

Docteur Jean Davignon
Docteur Suzanne Lussier-Cacan

Qui n'a pas entendu une phrase du genre: «C'est à n'y rien comprendre, il n'avait jamais eu de problème, n'avait jamais senti le besoin de voir un médecin et voilà qu'il est emporté subitement par une crise cardiaque avant même d'atteindre les 50 ans»? Il ne s'agit pas de faire l'autruche avec l'attitude du «ce-qu'on-ne-sait-pas-ne-nous-fait-pas-mal», ou de devenir hypochondriaque, le genre «tout - homme - en - santé - est - un - malade - qui - s'ignore», mais de faire le bilan, de regarder froidement les faits en face et de prendre les mesures qui s'imposent.

Nous allons voir brièvement dans ce chapitre quelques aspects pratiques de cette «démarche de santé» axée sur la prévention.

LES ÉLÉMENTS DU BILAN DE SANTÉ
POUR FINS PRÉVENTIVES

Quand on parle de prévention, on fait souvent la distinction entre la prévention primaire et la prévention secondaire. Dans le premier cas, il s'agit de prendre des mesures pour qu'un problème médical prévisible ne survienne pas; empêcher, par exemple, le développement de l'athérosclérose des coronaires chez un sujet susceptible mais sain. Dans le second cas, on veut éviter qu'un problème déjà existant ne s'aggrave ou ne se répète, par exemple éviter une deuxième crise cardiaque chez un coronarien. Si les mesures préventives primaires étaient idéales et appliquées individuellement, il n'y aurait sans doute pas de nécessité de recourir à la prévention secondaire où les conditions sont plus difficiles et où l'on risque de faire face à des dommages irréversibles.

Considérons le jeune adulte en santé qui se demande s'il est prédisposé à faire des crises cardiaques; il doit se poser les questions suivantes:

— Est-ce que les membres de ma famille (père, mère, oncles, tantes, frères, soeurs) font des crises cardiaques et à quel âge?
— Y a-t-il du diabète, de la haute pression artérielle et de l'hyperlipidémie dans ma famille?
— Est-ce que je fume la cigarette? et en quelle quantité?
— Mon alimentation est-elle saine?
— Est-ce que je fais suffisamment d'exercice?
— Est-ce que je suis soumis à des stress excessifs?
— Mon poids est-il normal pour ma taille?
— Quelle est ma tension artérielle?
— Est-ce que mon cholestérol sanguin est normal ou élevé?
— Est-ce que mes niveaux sanguins de sucre sont élevés?

Bien qu'il soit assez facile de répondre aux sept premières questions, l'aide d'un médecin ou d'une clinique de dépistage est nécessaire pour répondre aux autres.

Trois situations distinctes pourront le classer parmi les «sujets à risques»:

1. il souffre d'une maladie héréditaire qui prédispose à l'athérosclérose (hypertension, hyperlipidémie, diabète ou autres);
2. il n'a aucune maladie héréditaire mais ses habitudes de vie ont créé chez lui des conditions favorables à l'athérosclérose excès calorique et sédentarité conduisant à l'embonpoint et l'obésité, usage excessif du tabac, diète riche en graisses saturées, stress, etc...);
3. le problème héréditaire existe et il est aggravé par des habitudes de vie nocives.

Les réponses aux questions énumérées permettraient à l'épidémiologue de prédire, chez un homme, les probabilités de faire un infarctus dans les cinq ans en introduisant dans l'équation: l'âge, le nombre de cigarettes fumées par jour, les chiffres de tension artérielle et les taux de cholestérol et en utilisant pour chacun de ces éléments des constances de pondération qui ont été calculées au cours d'études prospectives. Avec le progrès de nos connaissances, nous pourrons bientôt faire entrer dans ces équations de nouveaux facteurs de risque qui rendront les calculs encore plus précis et discriminants. Les valeurs du rapport entre le LDL-cholestérol («le mauvais cholestérol») et le HDL-cholestérol («le bon cholestérol»), la concentration des apolipoprotéines B des LDL, le rapport apo B/apo A-1 sont des exemples de facteurs qui viendront s'ajouter éventuellement.

Cette démarche axée vers la prévention de la crise cardiaque implique donc la connaissance de quelques notions de base (ChapitreIII), une petite enquête familiale, la prise de conscience de ses propres habitudes de vie et une courte visite chez le médecin. Ce genre de vérification, on le fait volontiers pour sa voiture, pourquoi ne pas le faire pour soi?

LA PRÉVENTION ET LES ÉTAPES CRITIQUES DE LA VIE

Le plus sûr moyen de ne pas avoir à vaincre une mauvaise habitude, c'est de ne pas la prendre. Comme les habitudes se prennent dans l'enfance et l'adolescence où les enfants sont profondément influencés par le mode de vie des parents, le rôle de ces derniers est primordial dans cette lutte contre la maladie cardiaque. Comment faire valoir à ses enfants les dangers de la cigarette si les parents fument, comment leur faire suivre un régime sain si les excès alimentaires sont donnés en exemple?

C'est dans l'enfance et l'adolescence que l'on développe le goût du sucre et l'intérêt pour les aliments riches en calories et sans valeur nutritive du type «junk-food». L'adolescence est une de ces étapes critiques où bien souvent se prend l'habitude de fumer et parfois de boire. Après le mariage ou le début de la vie de couple, c'est l'excès alimentaire que l'on doit surveiller. Les grossesses sont souvent pour la femme le point de départ d'un excès pondéral qui persistera au-delà de l'accouchement.

54

Dans la quarantaine, les conditions socio-économiques se stabilisent, les exigences du métier ou de la profession laissent moins de temps pour le sport, et l'on risque de devenir plus sédentaire. Avec l'augmentation des responsabilités et les exigences du travail, la tension augmente et le tabac et l'alcool peuvent facilement servir de dérivatifs ou d'exutoires. On regarde les sports plutôt que de-les pratiquer et, la bière aidant, l'abdomen s'arrondit et les muscles se ramollissent. C'est l'étape de la vie pour certains où l'on peut enfin faire bonne chère et en jouir béatement se disant que l'embonpoint n'est que l'expression d'une prospérité bien gagnée.

Pour la femme, la ménopause est aussi une étape critique où elle perd la protection relative qu'elle avait connue jusque-là vis-à-vis de l'athérosclérose. C'est aussi le moment pour elle où les dépenses énergétiques diminuent et où l'embonpoint peut s'installer plus facilement. Elle devient plus vulnérable aux effets d'un cholestérol élevé et plus susceptible au développement de la maladie cardiaque.

La prévention doit commencer le plus tôt possible pour être efficace. C'est pourquoi il faut non seulement que les sujets atteints ou menacés de maladie cardiaque soient identifiés et traités, mais aussi qu'une attention particulière soit portée aux membres de leurs familles. Les mesures préventives sont tout particulièrement significatives pour les jeunes. L'adoption dès le jeune âge de bonnes habitudes de vie peut se faire tout naturellement et représente la meilleure assurance contre le développement de l'athérosclérose. Plus tard, il faut être d'une extrême vigilance aux moments critiques énumérés ci-dessus.

LES MESURES PRÉVENTIVES
POUR LA POPULATION EN GÉNÉRAL

Il faut bien réaliser qu'il existe des mesures préventives qui s'appliquent à la population en général et d'autres, plus exigeantes, que doivent suivre les individus qui présentent des facteurs de risque majeurs et une ou plusieurs des maladies héréditaires qui prédisposent à l'athérosclérose.

L'homme ou la femme ménopausée qui vit actuellement dans la société d'affluence nord-américaine et en adopte les habitudes alimentaires et le mode de vie, est une personne susceptible de faire la maladie coronarienne à plus ou moins brève échéance. C'est ce mode de vie qui fait que le cholestérol moyen du Nord-Américain est de 40 pour cent plus élevé que celui du Japonais et que l'incidence de la maladie coronarienne est cinq fois plus grande en Amérique qu'au Japon. Les mesures préventives recommandées pour cette partie de la population qui est actuellement en bonne santé ne constituent que des mesures élémentaires d'hygiène personnelle et de saines habitudes de vie que tout individu, ayant le moindre souci de se maintenir en santé, devrait adopter. Il s'agit:

— de vaincre l'habitude du tabac qui non seulement prédispose à la maladie coronarienne mais est une des causes établies du cancer du poumon;
— d'adopter une saine alimentation;
— de faire une place dans sa vie pour l'exercice.

Voyons quelques aspects de ces trois mesures préventives:

Comment vaincre l'habitude du tabac

Il existe une multitude de façons de cesser de fumer; la bonne pour un individu donné est celle qui réussit. Certains préconisent l'hypnose, l'acupuncture, la thérapie de groupe, l'utilisation de gomme à base de nicotine et autres moyens plus ou moins onéreux, mais il n'y a pas de substitut pour l'effort de volonté. La motivation est essentielle et c'est en réalisant les dangers véritables du tabagisme vis-à-vis de l'athérosclérose et du cancer du poumon qu'elle sera acquise.

Il faut prendre le moyen le mieux adapté à sa personnalité: l'arrêt brutal et inconditionnel ou l'arrêt progressif bien programmé avec ou sans l'usage de substitut. Souvent le fumeur a développé un réflexe conditionné, l'usage de la cigarette est synonyme de détente. C'est pour lui un moyen de réduire la tension, de trouver une satisfaction dans des conditions de travail difficiles ou de s'accorder un plaisir qui ponctue une heure bien remplie. Pour certains la cigarette symbolise le moment de repos qu'on s'accorde avec le café ou le pousse-café après quelques copieux repas. Il n'est pas étonnant que celui qui cesse de fumer ait tendance à rechercher, dans une compensation orale, le plaisir qu'il trouvait dans la cigarette. Il a tendance à manger plus, sans quoi il peut avoir de la difficulté à faire face à l'irritabilité qui peut résulter de l'accoutumance à la cigarette. Il n'y a pas de doute qu'en plus de la dépendance psychologique il existe une véritable dépendance physique. L'usage de gomme à mâcher contenant de la nicotine aide le sujet à se sevrer progressivement des effets physiques de l'accoutumance à cette drogue.

Dans la méthode de sevrage brutal, souvent efficace chez le sujet volontaire et discipliné, un substitut temporaire peut aider à traverser la période difficile. Fumer la pipe sans inhaler la fumée est beaucoup moins dommageable semble-t-il que fumer la cigarette. Cette manoeuvre de diversion maintient le réflexe conditionné un certain temps et diminue le besoin de manger qui est dû autant à la recherche de cette compensation orale, qu'à l'amélioration de l'appétit et de la fonction respiratoire. D'autres voudront substituer de la gomme à mâcher sans calorie, mordiller des bouts de bois ou utiliser la gomme à base de nicotine pour traverser cette phase d'irritabilité. La femme ne doit pas se croire exclue de l'usage de la pipe; il existe des pipes très jolies spécialement conçues pour la gent féminine.

Pour le sevrage progressif, il faut tenir compte de la quantité de cigarettes fumées par jour, au départ, et commencer cette tâche difficile en ne s'accordant pour un temps que la moitié de ce que l'on fumait. Celui ou celle qui fumait deux paquets par jour fera sa journée avec un seul paquet, en prenant soin de ne fumer que lorsque le besoin devient intolérable ou que le moment est particulièrement propice à la détente: à la pause-café, après un long effort physique ou intellectuel, après le repas, etc... Si l'on n'est pas parcimonieux, le paquet sera terminé trop tôt et il faudra alors avoir le courage de «rester sur sa faim». Que le paquet soit fumé entièrement ou non, le lendemain on ne s'alloue encore qu'un paquet. Lorsque l'habitude est prise à ce niveau (il faut compter un ou deux mois), on coupe encore de moitié la quantité qu'on s'alloue pour un jour. Ce demi-paquet devra durer toute la journée et ainsi de suite. Lorsqu'on se retrouve à cinq cigarettes par jour, l'arrêt complet devient beaucoup plus facile. Cette méthode convient mieux aux personnes tendues chez qui la dépendance psychique est particulièrement grande.

Enfin cesser de fumer n'est que la première étape, ne pas reprendre l'habitude est pour certains encore plus difficile. Un conseil: ne jamais «en prendre une pour voir si on a vraiment perdu l'habitude», c'est le plus sûr moyen de reprendre le joug.

Une alimentation saine pour tous

En Amérique du Nord, nous consommons une abondance d'aliments riches en graisses saturées et cholestérol, en sucres concentrés et en calories. La disponibilité d'aliments préparés de toutes sortes qui fournissent un excès de sel, de sucre, de graisses saturées et de calories (croustilles, chocolats, gâteaux) sans pour autant y associer les éléments nutritifs essentiels (vitamines, fer, acides aminés et acides gras essentiels) ont vicié les habitudes alimentaires chez les jeunes. Le manque d'intérêt pour les fruits et les légumes a créé dans certains milieux le style «steak-patate-tarte» ou l'adepte du ping pong alimentaire entre le «hot-dog» et le «hamburger». La pause-travail a fait naître «l'individu cigarette-café» où le café n'est qu'un prétexte pour ingérer un excès de sucre qui fournit des calories tant à l'individu qu'aux bactéries qui habitent sa bouche et favorisent la carie dentaire. L'ingestion non contrôlée de ces aliments peut favoriser, chez certaines personnes, l'excès de poids et l'augmentation du cholestérol ou des triglycérides dans le sang. Dans un but préventif, il faut donc choisir soigneusement les aliments en tenant compte de ses besoins nutritionnels et en évitant les excès auxquels nous sommes habitués. Il faut manger de façon équilibrée, c'est-à-dire consommer des aliments de toutes les catégories. Par exemple, pourquoi ne pas manger plus souvent du poisson au lieu de certaines viandes qui sont beaucoup plus grasses et plus riches en calories? Si l'on mange plus de fruits et de légumes, on mangera moins de sucreries, de pâtisseries, donc moins de calories et plus de vitamines et de sels minéraux. Pourquoi ne pas prendre l'habitude de boire des jus de légumes ou de fruits au lieu de boissons gazeuses? Les parents ont une grave responsabilité en ce qui concerne la nutrition de leurs enfants. De leur alimentation d'aujourd'hui dépend leur santé de demain. Suivre le régime nord-américain typique actuel c'est en quelque sorte creuser sa tombe avec ses dents. On peut se renseigner sur les besoins nutritionnels de la famille en consultant le guide alimentaire du Canada et le guide alimentaire québécois.

L'exercice a sa place

Il n'y a pas de substitut pour l'exercice modéré et soutenu. Les bénéfices à en retirer sont nombreux. L'exercice permet de brûler les calories et de maintenir son poids. Il améliore la résistance d'un individu à l'effort tout en entraînant une sensation de bien-être qui améliore la qualité de vie. On croit même que l'exercice soutenu favorise l'augmentation du HDL-cholestérol dans le sang, ce qui est un gain appréciable. Il faut toutefois s'adonner à l'exercice de façon progressive et raisonnable. Un régime trop brutal pourrait être dangereux pour une personne qui a eu un mode de vie sédentaire jusque-là. De plus, l'interruption brusque d'un programme très actif est à déconseiller. Avec l'âge et les exigences accrues d'un travail de bureau, l'adulte, même celui qui était sportif au départ, tend à consacrer moins de temps à l'exercice; malheureusement, la réduction de l'activité physique n'abolit pas pour autant l'appétit. Le rapport ingestion calorique et dépense énergétique est perturbé et l'embonpoint en résulte presque invariablement.

Les mesures préventives chez le sujet susceptible

Lorsque l'on cumule les facteurs de risque ou qu'une ou plusieurs des maladies qui prédisposent à l'athérosclérose vient nous placer en haut de l'échelle du risque, les mesures préventives deviennent plus exigeantes. Le régime alimentaire en particulier prend une importance considérable et devient la base même du traitement de l'hyperlipidémie, du diabète et même de l'hypertension artérielle. C'est en second lieu que des médicaments peuvent venir s'ajouter au régime lorsque ce dernier s'avère inefficace.

LE RÉGIME

Voyons les principaux aspects du régime qui sont pertinents à la prévention de la maladie coronarienne.

Calories

L'excès de calories mène à l'excès de poids et aux complications qui l'accompagnent, en particulier à l'élévation des graisses dans le sang (voir Chapitre IV). L'obésité favorise aussi l'hypertension et le diabète. Les statistiques provenant des compagnies d'assurance-vie on montré que l'espérance de vie pouvait être plus courte chez les gens trop gras.

Il n'y a pas de moyen facile de maigrir. Il faut éviter les régimes extrêmes qui entraînent la perte de poids à court terme mais qui ne permettent pas à l'individu qui veut contrôler son poids d'acquérir des habitudes alimentaires plus équilibrées. Le régime amaigrissant peut, même s'il signifie des restrictions du point de vue aliments gras et très sucrés, contenir tous les éléments nécessaires pour une bonne nutrition. Avant de s'engager dans un programme d'amaigrissement, il faut consulter un médecin et ne suivre que les recommandations de personnes qualifiées.

Graisses

Les graisses représentent la source la plus concentrée de calories et doivent donc être limitées lorsqu'on veut maigrir. Par ailleurs, ce sont les graisses saturées qui font augmenter le cholestérol dans le sang des gens susceptibles. Ces graisses sont surtout d'origine animale: le gras de la viande, la crème du lait. Par contre, les graisses polyinsaturées, qu'on retrouve surtout dans les huiles végétales provenant des graines et des céréales (tournesol, maïs, soya, carthame) ont tendance à faire baisser le cholestérol. Mais il faut se méfier car certaines huiles végétales contiennent des graisses saturées: l'huile de noix de coco (coprah) et l'huile de palme qui sont très employées dans l'industrie alimentaire (poudings, substituts de la crème, etc...), et les huiles hydrogénées qui sont aussi très abondantes sur le marché. Lorsqu'on veut contrôler la sorte de graisses consommées, il faut bien vérifier les étiquettes des produits commerciaux.

On ne peut éliminer complètement les graisses saturées, mais on peut en réduire considérablement l'ingestion en faisant un choix d'aliments et en diminuant les quantités consommées. Par exemple, le boeuf, le porc et l'agneau contiennent plus de gras que le veau, le cheval, la volaille et les poissons. De plus, les poissons (même ceux qu'on qualifie de gras) ainsi que la volaille, contiennent moins de gras que la plupart des viandes et ont l'avantage de renfermer aussi une bonne proportion de graisses polyinsaturées.

Les produits laitiers sont une source importante de graisses saturées et de cholestérol, d'autant plus importante lorsque sous forme concentrée comme dans le beurre et le fromage. Heureusement, il est possible d'enlever le gras du lait et par le fait même son cholestérol, tout en préservant sa valeur nutritive. Il existe sur le marché une grande variété de produits laitiers écrémés ou semi-écrémés: lait, fromages, yogourt, desserts glacés, etc... Encore une fois, il faut lire attentivement les étiquettes pour s'assurer du contenu en matières grasses des différents produits laitiers.

L'huile végétale est recommandée pour la cuisson. Si on veut utiliser de la margarine, il faut en choisir une dont l'huile végétale est l'ingrédient principal. Ces margarines sont molles et portent sur l'étiquette des renseignements quant à leur composition en graisses polyinsaturées et saturées.

Cholestérol

Le cholestérol se trouve principalement dans les aliments d'origine animale: les viandes (partie grasse et maigre), le jaune d'oeuf qui en est la source la plus concentrée, la crème du lait et tous les aliments qui en contiennent. Le cholestérol des aliments peut contribuer à augmenter le cholestérol dans le sang; il est donc restreint dans l'alimentation des gens qui ont un excès de cholestérol dans le sang. Les aliments riches en cholestérol sont pour la plupart en même temps riches en graisses saturées de sorte que le régime limité en graisses saturées entraîne aussi une réduction du cholestérol. On limite habituellement la quantité d'oeufs dans ces régimes. Notre organisme a besoin de cholestérol, mais il a tout ce qu'il faut pour le fabriquer lui-même.

Sucres et alcool

Une autre catégorie d'aliments peut avoir une influence importante sur les taux de graisses dans le sang. Il s'agit des sucres concentrés tels que fournis par les desserts très riches, les sirops et confitures, les boissons gazeuses, les confiseries. Il convient d'en limiter la consommation, surtout si on a tendance à l'excès de poids, si l'on est incapable d'utiliser les sucres normalement (diabète) ou que l'on a déjà trop de graisses dans le sang (triglycérides). La modération est aussi particulièrement importante en ce qui concerne les boissons alcooliques. L'alcool est une source importante de calories et est souvent responsable de l'élévation des graisses dans le sang.

LES MÉDICAMENTS

Lorsqu'un sujet présente une des maladies qui prédisposent à l'athérosclérose, l'expertise médicale devient utile. Le médecin questionnera, fera un examen complet et demandera des analyses de laboratoire pour déterminer la nature exacte de la maladie et établir en particulier si elle est d'origine héréditaire ou si elle résulte d'une autre cause. Il existe en effet une multitude de raisons qui peuvent expliquer une élévation de la tension artérielle (hypertension) ou des lipides sanguins (hyperlipidémie). Même parmi les maladies héréditaires, il en existe plusieurs formes qui diffèrent les unes des autres tant par leur manifestation clinique que par leur gravité et le genre de traitement qu'elle nécessite.

Le médecin exigera des visites régulières afin de suivre l'évolution de la maladie, d'être à l'affût de toute nouvelle complication et surtout dans le but de vérifier l'efficacité du traitement qui peut nécessiter la combinaison de plusieurs médicaments. Les sujets atteints d'hyperlipidémie familiale, d'hypertension essentielle et de diabète doivent réaliser que leur maladie se contrôle mais ne se guérit pas. Ils doivent réaliser que les mesures prises ont pour but d'éviter les complications à long terme; si elles sont abandonnées, c'est un retour au point de départ et la perte des effets protecteurs parfois difficilement acquis.

Le ou les médicaments prescrits ont pour but de réduire les niveaux sanguins de cholestérol, de glucose dans le diabète et les chiffres de la tension artérielle dans l'hypertension et cela de façon stable et soutenue. Tous les médicaments peuvent avoir des effets secondaires ou encore des interactions entre eux. Le médecin exerce une surveillance et ajuste la médication de façon optimale. Il peut être dangereux de prendre sur soi de modifier la posologie en fonction de «comment l'on se sent», sans en aviser son médecin. Quand une complication survient, l'approche thérapeutique doit être modifiée pour protéger le patient contre ses conséquences néfastes (trouble du rythme à la suite d'une crise cardiaque, par exemple). Là encore, le médecin est appelé à modifier la nature du traitement. Le nombre de pilules peut parfois paraître excessif au non-initié; l'on ne doit pas hésiter à se faire expliquer en détail le pourquoi de chacun des médicaments prescrits, cela évitera la confusion et des erreurs potentiellement dangereuses.

En somme, il vaut mieux savoir à quoi s'en tenir que de vivre plus ou moins consciemment dans l'attente d'une catastrophe éventuelle. Il est préférable de savoir si une roue de sa voiture risque de se détacher et y remédier, que d'ignorer les bruits insolites en espérant «qu'il n'y ait rien là». La démarche de santé axée sur la prévention est un moyen sûr d'éviter des ennuis graves qui peuvent bouleverser notre vie et celle de ceux qui nous sont chers. Si la réponse aux questions élémentaires citées plus haut nous conduit à la découverte d'une maladie qui prédispose à l'athérosclérose, il ne faut pas hésiter à agir même si l'on se sent bien et avoir le courage de persévérer dans les mesures préventives mises à notre disposition. Pourquoi attendre que le dommage soit fait pour trouver la motivation nécessaire à suivre un traitement, alors qu'il est tellement plus facile de prévenir...

66

Chapitre 6

LA RÉINTÉGRATION DU CARDIAQUE DANS LA SOCIÉTÉ

Docteur J.L. Guy Tremblay

Des événements de marque témoignent des réalisations des «cardiaques». Ainsi, après un infarctus du myocarde, Eisenhower continua tant la pratique du golf que la présidence des États-Unis.

Plus près de nous, en 1973, un groupe de post-infarctus complète le marathon de Boston et, récemment, des pilotes de Boeing 747 continuent leur carrière après un pontage aorto-coronarien.

Ces réalisations sont le fruit d'une approche globale dans le diagnostic et le traitement des maladies cardiaques. C'est aussi le résultat de l'intégration de spécialistes de l'alimentation et de l'activité physique dans les équipes de soins.

Cette approche repose sur la reprise progressive des activités selon la récupération du coeur, soit après un infarctus ou après une chirurgie cardiaque pour un pontage aorto-coronarien ou un remplacement valvulaire.

LE RETOUR À DOMICILE

Au départ de l'hôpital et de son atmosphère sécurisante, il est normal d'appréhender le retour à la maison et de s'interroger sur l'avenir. Ces craintes et ces questions sont normales. Les chances de retour à la santé et à une vie normale sont très bonnes si on s'assure de tous les moyens pour améliorer l'état physique et psychologique.

Repos et calme sont un gage de prompt rétablissement. La convalescence ne signifie pas des vacances; elle est avant tout une période privilégiée pour repenser sa santé et son mode de vie.

Et pourquoi pas celui de l'entourage? Retrouver ou acquérir des habitudes de vie plus saines et les partager avec la famille favorisera la réadaptation.

Lors de la convalescence, les proches doivent éviter les tentatives pour remonter le moral en encourageant à outrepasser la capacité physique. D'un autre côté, la surprotection de la famille n'est pas meilleure; «couver» est nuisible et compromet la prise en charge de l'individu par lui-même. Un soutien équilibré est très important. C'est ce rôle que la famille se doit de jouer.

L'ACTIVITÉ PHYSIQUE APRÈS UN INFARCTUS

Au cours de l'hospitalisation, le repos et les siestes prolongées, le séjour à la chambre et les marches dans le corridor de l'hôpital, cette reprise graduelle de l'activité physique a favorisé la guérison du coeur en ne lui demandant pas d'efforts trop importants.

Puisque la guérison et la cicatrisation permanente d'un infarctus du myocarde exigent de six à douze semaines, on comprend l'importance d'une reprise progressive, sans précipitation, des activités.

Un retour à l'activité physique bien dosée permet une réinsertion rapide à la vie de tous les jours.

C'est pourquoi le médecin prescrit un programme d'activités physiques adaptées aux conditions personnelles. Cette prescription permet à l'organisme de retrouver et même d'améliorer sa capacité physique générale, tout en assurant au coeur une convalescence adéquate et sûre.

Ainsi, lors du retour à la maison, il est recommandé, pour les premiers jours, de continuer le programme d'activités physiques du séjour hospitalier.

Selon la récupération du coeur, trois à quatre semaines doivent s'écouler avant la reprise de certaines activités.

Quelles sont les activités permises?

Discutez-en avec le médecin; les habitudes et les intérêts personnels sont importants. Il est bon de savoir que l'on peut quantifier le niveau d'énergie des différentes activités quotidiennes ou encore des activités de travail et de loisir.

Pour faciliter la discussion, mentionnons que l'unité de mesure du niveau d'énergie est le METS, unité qui permet de quantifier l'énergie dépensée lors d'un effort.

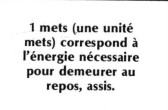

> **1 mets (une unité mets) correspond à l'énergie nécessaire pour demeurer au repos, assis.**

Source: *Vivre après l'infarctus*, DSC de l'hôpital de l'Enfant-Jésus.

En marchant, vous dépensez deux à trois mets. Monter un escalier demande trois à quatre mets.

En règle générale, les premières semaines, il faut se limiter aux activités qui demandent une dépense d'énergie inférieure ou égale à quatre mets. La marche, le jardinage, le ménage léger demandent une dépense d'environ trois à quatre mets.

LA MARCHE

Les médecins recommandent la marche, qui est l'exercice le plus simple et le plus efficace pour vous remettre en forme. La marche est un exercice complet. Cette activité ne demande aucun équipement et est accessible à tous.

INTENSITÉ DE LA MARCHE

Il n'existe aucune règle absolue sur ce point. L'intensité doit tenir compte de votre condition physique avant l'infarctus et d'autres facteurs, tels que l'âge, l'intérêt, mais surtout de votre récupération cardiaque.

La marche offre la chance à vos poumons de s'emplir d'oxygène et aide votre muscle cardiaque à se tonifier.

Voici quelques recommandations avant d'entreprendre les marches:

Tout d'abord, partir frais et dispos. Il est conseillé de prendre le temps de se reposer après chaque repas. Il est préférable d'attendre environ une heure et demie à deux heures avant de partir se balader.

Les journées de grand vent ou de pluie sont à éviter. Éviter aussi celles où il fait trop chaud ou trop froid. Lorsque le temps est inclément, pourquoi ne pas se promener dans un endroit couvert?

Avec le temps, il est facile d'oublier ou de minimiser l'importance de l'attaque que vient de subir le coeur. Il n'en reste pas moins que le coeur a bel et bien subi un certain dommage et qu'il a besoin d'environ trois mois pour guérir.

L'augmentation des activités physiques doit être progressive pour ne pas être dangereuse. Au dernier mois de convalescence, on récupère progressivement toutes les activités d'une vie normale, avec toutefois les restrictions suivantes:

— les sports compétitifs et les efforts inhabituels doivent être évités, pour la période de convalescence;
— laisser les autres pousser l'automobile ou porter les objets lourds.

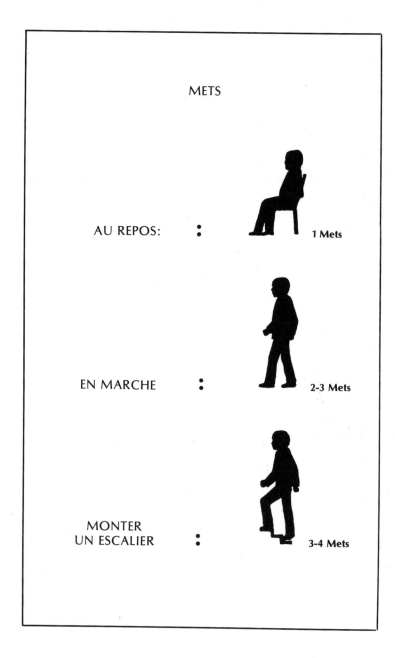

L'ACTIVITÉ PHYSIQUE ET
LA CHIRURGIE CARDIAQUE

La convalescence après un pontage aorto-coronarien ou un remplacement valvulaire peut s'écouler lentement, semble-t-il. Tout l'organisme est au ralenti. L'hospitalisation, la chirurgie elle-même et les médicaments s'additionnent pour amortir le système.

Après la dépense d'énergie psychologique nécessaire à la préparation chirurgicale, une sensation de «fatigue indue» et même des éléments dépressifs peuvent se manifester.

Si on se laisse déprimer et si on blâme le sort, il n'y a aucun doute que l'état physique s'en ressentira.

Par contre, si on adopte une attitude positive et si on considère toutes les activités à reprendre à la fin de la convalescence, l'état ne peut que s'améliorer.

Les premières semaines après la sortie de l'hôpital représentent une période unique pour se consacrer à l'amélioration de l'état physique et psychologique par l'abandon des mauvaises habitudes et l'adoption d'un mode de vie plus sain.

Le niveau de performance physique à atteindre dépend de l'âge et de l'entraînement avant la chirurgie. Pour le sportif ou l'actif assidu, un entraînement de plus haut niveau est possible, en évitant cependant la compétition. À retenir toutefois: tout entraînement doit être accompli progressivement et sous contrôle médical.

En règle général, c'est un programme de marche similaire à la convalescence post-infarctus qui est recommandé. Cependant, après quelques semaines, on en accélère souvent l'intensité car la récupération est plus rapide après une chirurgie.

L'ÉVALUATION DU COEUR

Pour vérifier la tolérance du coeur à la reprise des activités physiques, le cardiologue évalue la capacité générale par une épreuve d'effort sur un tapis roulant ou sur un ergocycle. Pendant que l'on marche sur le tapis roulant à vitesse variable selon les paliers d'effort, le cardiologue surveille l'accélération du coeur, les variations de la tension artérielle et les changements à l'électrocardiogramme. Ainsi, il peut mieux conseiller sur le niveau d'activité physique qui est personnellement utile et recommandé.

Cette évaluation à l'effort sert de guide pour vos activités quotidiennes. Lorsque vous marchez à une certaine vitesse avec une certaine pente à monter, l'organisme accomplit un travail qui peut être mesuré et comparé avec le travail généré par d'autres activités.

Pour guider la reprise quotidienne des activités, il existe des tableaux-guides où les activités courantes de loisir et de travail sont présentées selon leur dépense d'énergie en «METS».

Ce type de tableaux doit être considéré comme un guide général. Vous savez par expérience que vous dépensez plus d'énergie à effectuer un exercice qui ne vous est pas familier. Il faut également faire la nuance entre effectuer un travail de quelques instants et poursuivre ce même travail pour une journée entière.

Néanmoins, consultez ces guides et vous en verrez toute l'utilité. Il faut se rappeler que les activités qui impliquent un élément de compétition, ou encore un facteur émotif important, augmentent le travail du coeur.

LE COEUR ET LE SEXE

Plusieurs se demandent s'ils pourront encore avoir des relations sexuelles. Acte naturel, les relations sexuelles seront probablement les premières activités que vous reprendrez. Les relations sexuelles sont excellentes pour le coeur car elles permettent d'éliminer les tensions psychologiques. Elles invitent aussi à la relaxation et à la paix intérieure.

Envisagez-les comme une activité physique au même titre que la marche ou la natation.

Une femme ou un homme peut faire de l'exercice et travailler, alors sans crainte, elle ou il est apte à faire l'amour sans problème!

Afin de minimiser les inquiétudes, voici quelques précautions. Les relations sexuelles après un gros repas ou une dure journée de travail sont à proscrire. On évite aussi une consommation excessive d'alcool avant une relation sexuelle.

Si désirées et réalisées dans une atmosphère calme et sereine, les relations sexuelles seront agréables et satisfaisantes.

Rien ne sert de vouloir atteindre d'inutiles performances. Il faut être soi-même: on nous aime et on nous apprécie pour cela.

LE RETOUR AU TRAVAIL

Le retour au travail s'effectue généralement 6 à 10 semaines après la sortie de l'hôpital.

Après réévaluation de votre état physique, le médecin est alors en mesure de voir si vous avez la capacité physique de reprendre votre travail, et quel programme de conditionnement physique vous devez poursuivre.

Votre cardiologue vous suggérera des modalités de reprise de vos activités professionnelles et la date de retour au travail.

Une modification des conditions de travail peut-être nécessaire pour certains types d'emploi comme pour les chauffeurs d'autobus ou les journaliers, qui font face à une activité physique trop importante et trop soutenue. Le médecin peut être un guide dans le choix du genre de travail qui convient à la capacité physique.

L'ACTIVITÉ PHYSIQUE ET LE COEUR

Lors du retour au travail, il demeure important de garder la bonne condition physique acquise par la marche au cours de votre convalescence.

Il est recommandé de se limiter à la pratique régulière et modérée d'un sport d'endurance. La marche reste un excellent exercice: vous pouvez pratiquer des sports tels que la natation, le ski de fond, la bicyclette et ce, au moins deux ou trois fois par semaine. Le jogging est un de ces moyens, mais il ne convient pas à tous.

Il faut toujours viser à demeurer le plus actif possible et profiter de toutes les occasions de se dépenser physiquement. Se promener à bicyclette au lieu de le faire en automobile; éviter les ascenseurs et prendre les escaliers.

De plus, il faut favoriser les exercices de type «dynamique» tels que la marche qui, par les alternances de contraction-décontraction des muscles, amènent le coeur à pomper plus de sang. Ski de fond, raquette, natation et bicycle sont ainsi fort utiles pour le coeur. À l'opposé, les efforts «isométriques», c'est-à-dire les efforts de traction ou contraction prolongées, élèvent la tension et ne sont pas recommandés. Une prudence et même une retenue s'imposent pour le lever des poids lourds ou l'entraînement par appareil-Nautilus.

LE CARDIAQUE ET LA CONDUITE AUTOMOBILE

Conduire une automobile n'exige pas un effort physique important, mais peut être source de tension et de vives émotions.

Pour votre protection, la Direction de la gestion du code de la route, en accord avec l'Association des cardiologues, vous juge inapte à la conduite d'un véhicule automobile pour une durée de deux mois suivant immédiatement votre infarctus.

Après une chirurgie cardiaque, on conseille d'éviter la conduite d'un véhicule pour environ un mois.

Après ces périodes, vous êtes autorisé à reprendre la conduite de votre véhicule privé (Classe 4, au Québec, par exemple). Pour les véhicules lourds ou publics, il existe des normes plus sévères pour la protection du public. La réglementation tient compte du type de conduite et de la sévérité de la maladie cardiaque.

Les normes de conduite ont évolué avec les progrès dans le diagnostic et le traitement. Discutez-en avec votre médecin qui connaît la réglementation en vigueur.

Chapitre 7

LE CATHÉTÉRISME CARDIAQUE ET LA CORONAROGRAPHIE

Docteur Martin Morissette
Docteur John Dyrda

Au cours de l'évaluation d'une maladie cardiaque, le médecin peut juger nécessaire de visualiser l'état du muscle cardiaque, de ses valves et de ses artères. Il pourra alors demander un cathétérisme cardiaque ou une coronarographie.

Un cathétérisme cardiaque utilise un fin et long tube (*figure 1*) de plastique nommé cathéter, d'où le nom de l'examen. Le premier cathétérisme cardiaque fut fait par Claude Bernard en 1844. Il dirigea, à partir des artères et veines du cou, des cathéters jusqu'au coeur d'un animal. Le premier cathétérisme cardiaque chez l'homme remonte à 1929. Un jeune Allemand, étudiant en médecine, W. Forssmann, s'introduisit lui-même, à partir du pli du coude, un petit tube qu'il fit remonter jusqu'au coeur. Depuis lors, de nombreux progrès médicaux et techniques ont permis de mettre sur pied les laboratoires actuels de cathétérisme cardiaque où une évaluation complète du coeur peut

être accomplie en sécurité et sans inconfort significatif pour le malade.

LE CATHÉTÉRISME CARDIAQUE

Un cathétérisme cardiaque représente un examen cardiaque spécialisé. Il se fait dans une salle
d'examen aménagée à cet effet (*figure 2*), pourvue

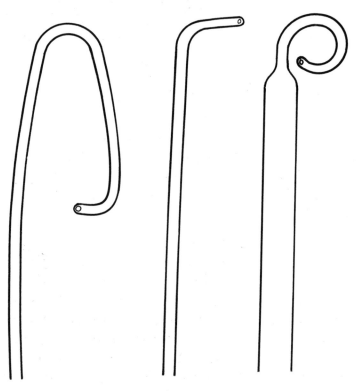

Figure 1
Divers cathéters utilisés lors du cathétérisme cardiaque ou de
la coronarographie. Le bout distal dont la forme varie (tout en
demeurant souple) permet d'atteindre plus facilement des
sites précis du coeur ou ses artères.

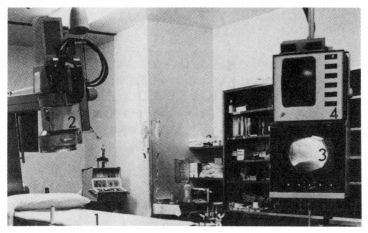

Figure 2 **Vue d'ensemble d'un laboratoire d'hémodynamie.**
1. table d'examen
2. appareil de rayons-X
3. écran téléviseur
4. moniteur de pression et électrocardiogramme

d'un appareil de rayons X, d'un écran de télévision sur lequel seront projetées les images du coeur, d'un moniteur de pression, d'électrocardiogramme et d'autres appareils complémentaires.

Après que le patient a reçu un calmant léger, et sous anesthésie locale, le cathéter est introduit dans l'artère ou la veine, soit par ponction au niveau de l'aine ou par petite incision au pli du coude. De son point d'entrée, le cathéter est introduit et manipulé facilement jusqu'à l'intérieur des cavités cardiaques. Ces manoeuvres sont absolument indolores. Elles sont facilitées par le fait que les cathéters sont préformés et s'orientent vers le site recherché. De plus, le trajet du cathéter (visible aux rayons-X) est surveillé sur l'écran de télévision.

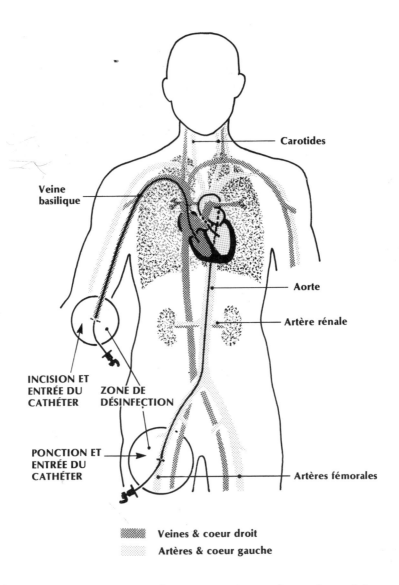

Figure 3 **Sites d'introduction et trajets typiques des cathéters lors d'un cathétérisme cardiaque.**

Source: *Cathétérisme du coeur et des vaisseaux sanguins*, Institut de cardiologie de Montréal.

82

Une fois en place, le cathéter permet l'étude du coeur et de sa fonction. L'enregistrement des pressions aux divers sites peut démontrer, par exemple, un changement subit de pression indiquant qu'un obstacle anormal vient d'être franchi. La différence de pression aide à déterminer l'importance de l'obstruction. On peut évaluer ainsi une sténose, ou rétrécissement, de la valve mitrale ou aortique.

Lorsqu'il est relié à des appareils de mesure du contenu en oxygène du sang, le cathéter permet de détecter des changements brusques de la quantité d'oxygène dans une chambre cardiaque donnée. On peut ainsi trouver des communications anormales entre le coeur gauche (riche en oxygène) et le coeur droit (normalement pauvre en oxygène). Il s'agit d'une méthode importante pour l'étude d'une communication anormale entre les oreillettes ou les ventricules.

On peut aussi injecter une «substance indicatrice» à un point donné et mesurer sa concentration et sa vitesse de passage en un point plus éloigné de la circulation. On mesure ainsi la quantité de sang pompé en un temps donné ou débit cardiaque. Cette technique permet d'évaluer l'efficacité du muscle cardiaque en tant que pompe. Par exemple, le débit cardiaque est d'autant plus diminué que le coeur est plus affaibli par un infarctus ou par une autre maladie. On peut enfin utiliser ce cathéter pour injecter un liquide opaque aux rayons-X. Cette substance radio-opaque est filmée sur une pellicule sensible aux rayons-X alors qu'elle circule dans le coeur et les vaisseaux; elle permet une image claire de la forme et du mouvement de la partie du coeur étudiée. Cette série d'images se nomme angiographie. Selon le site étudié, le nom sera variable; l'angiographie du ventricule gauche se nommera une ventriculographie gauche.

LA CORONAROGRAPHIE

Lorsqu'une personne se plaint de douleurs, de serrements dans la poitrine, survenant au cours d'un effort et disparaissant avec l'arrêt de l'effort, son médecin lui dira qu'elle présente de l'angine de poitrine (Chapitre IV). Il lui fera les recommandations appropriées, lui prescrira certains médicaments et peut-être une coronarographie.

Le médecin recommande cet examen afin de bien définir la présence de blocages des artères coronaires. Cet examen est essentiel lorsqu'on

envisage une chirurgie de pontage aorto-coronarien (Chapitre IX). Il peut aussi servir à préciser le
diagnostic lorsque la cause de la douleur thoraci-
que n'est pas évidente.

La coronarographie, comme on l'a déjà noté,
représente un aspect particulier du cathétérisme
cardiaque.

Elle se fait sous anesthésie locale. Un cathéter
préformé est introduit dans l'artère fémorale au
niveau de l'aine et dirigé jusqu'à l'origine de l'artère coronaire droite et gauche. Des injections d'un
produit radio-opaque sont faites dans chacune des
artères coronaires (*figure 5*). Ces injections sont fil-
mées par une ciné-caméra et les films sont étudiés
en vue de déterminer la nature des obstructions et,
conséquemment, leur traitement appropriée.

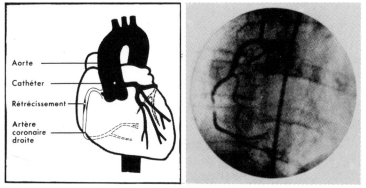

Schéma agrandi   Photo

Figure 4   Figure 5 **La coronarographie**
Schéma: Position du cathéter à l'origine de la coronaire
         droite.
Photo: Image obtenue lors de l'examen, montrant une
       obstruction quasi totale à son tiers-moyen.

Source: *Cathétérisme du coeur et des vaisseaux sanguins*, Institut de cardiologie de Montréal.

Le cathétérisme et l'angiographie sont des techniques courantes bien établies dans de nombreux centres hospitaliers. Elles peuvent être réalisées sans inconfort significatif pour le malade. Mais toute intervention comporte un risque de complications. Dans le cas du cathétérisme, les complications sont très rares mais elles existent; par conséquent, lorsqu'un médecin propose cette investigation à un malade, il lui expliquera les avantages et les risques de cette procédure.

Le cathétérisme cardiaque fut d'abord développé comme outil d'évaluation du coeur et de ses vaisseaux. Il permet de définir la forme du coeur et ses anomalies congénitales (de naissance) ou acquises. Il peut évaluer la fonction du coeur comme pompe. Il sert enfin à définir clairement les obstructions des artères du coeur. Il rend donc possible une planification rationnelle du traitement.

Au cours des dernières années, le cathétérisme cardiaque a connu un nouvel essor. Le cathétérisme peut aussi être utilisé comme technique de traitement de la maladie cardiaque. Un médicament, la streptokinase, introduit par cathéter au site de l'obstruction peut dissoudre un caillot récent, lors de l'infarctus aigu. Un ballon spécial introduit par le cathéter peut dilater un rétrécissement d'une artère du coeur. Ces techniques en évolution seront revues au Chapitre X.

Chapitre 8

LA RÉANIMATION CARDIO-RESPIRATOIRE

Docteur Michel Tétreault

Un des aspects les plus spectaculaires de l'évolution de la cardiologie est l'introduction en 1960, par Kourvenhoven, de techniques simples de réanimation. L'arrêt cardiaque qui était quasi uniformément mortel ne l'est plus.

Les techniques de réanimation cardio-respiratoire ont soulevé l'enthousiasme universel. On estime à environ 100 millions, le nombre de personnes ayant appris ces techniques.

Ce chapitre sera trop bref pour représenter autre chose qu'un survol de cette superbe entreprise et peut-être stimulera-t-il à en connaître davantage.

Face à la réanimation, de nombreuses questions sont soulevées: Qui peut-être victime d'une mort subite? Comment se pratique la réanimation cardio-respiratoire? Lors d'un décès, pratique-t-on toujours les techniques de réanimation? Quels sont les résultats de la réanimation cardio-respiratoire? Pourquoi et comment se familiariser avec ces techniques? Quel est l'avenir de la réanimation? Autant de questions fréquemment posées et auxquelles on tentera de répondre au cours des pages qui vont suivre.

QUI PEUT ÊTRE VICTIME D'UNE MORT SUBITE?

En 1980, 50 613 Canadiens mouraient de crise cardiaque. De ce nombre, 54 pour cent ont présenté un arrêt cardiaque comme signe précoce de leur maladie. Au Québec, on estime que le nombre de morts subites est de 8 500 par année, soit environ un décès par heure, 24 heures par jour, 365 jours par année. Ce fléau n'épargne aucun âge de l'enfance à la vieillesse, mais il atteint son maximum de fréquence chez l'homme entre 45 et 55 ans. Outre la crise cardiaque, plusieurs autres problèmes peuvent entraîner un arrêt cardio-respiratoire: la noyade, l'asphyxie (par la fumée, par exemple), les problèmes respiratoires tant de l'enfant que de l'adulte, les hémorragies importantes (comme lors des accidents de la circulation), l'électrocution, les abus de médicaments. Dans toutes ces situations, l'intervention rapide de personnes qualifiées en réanimation cardiaque pourra faire la différence entre un décès ou une survie.

COMMENT SE PRATIQUE LA RÉANIMATION CARDIO-RESPIRATOIRE?

Les techniques de réanimation se divisent en deux groupes: les techniques de base ou soins immédiats qui peuvent être pratiqués par toute personne ayant suivi un entraînement en techniques de base de réanimation. Les soins dits avancés représentent l'ensemble des techniques dont disposent les médecins entraînés et équipés lors du traitement de l'arrêt cardiaque.

Les soins immédiats

La toute première étape des soins immédiats enseigne comment reconnaître en quelques secondes un arrêt cardiaque et respiratoire et comment le distinguer d'un simple évanouissement. Les caractéristiques essentielles de l'arrêt cardio-respiratoire sont: une personne inconsciente, sans pression artérielle et sans pouls perceptible et qui ne respire pas. Un tel événement sera définitivement mortel en dedans de 10 minutes si rien n'est fait. Il s'agit donc de la super-urgence médicale. Dans des circonstances particulières, 80 pour cent pourront survivre si le secours est disponible en moins de quatre minutes. Dès que l'arrêt cardio-respiratoire est constaté, on commence l'ABC de la réanimation. (Figure I)

Pratiquées selon les normes acceptées par la Fondation des maladies du coeur, ces techniques pourraient sauver la vie de plus de 4 000 Québécois par année et d'environ 25 000 Canadiens.

Les soins avancés

Les soins avancés en réanimation cardio-respiratoire représentent l'ensemble des techniques dont disposent les équipes médicales lors de l'arrêt cardiaque.

Les soins avancés couvrent les huit points suivants:

a. Les appareils spécialisés permettant d'assister la respiration.
b. Les appareils spécialisés permettant de supporter la circulation sanguine.

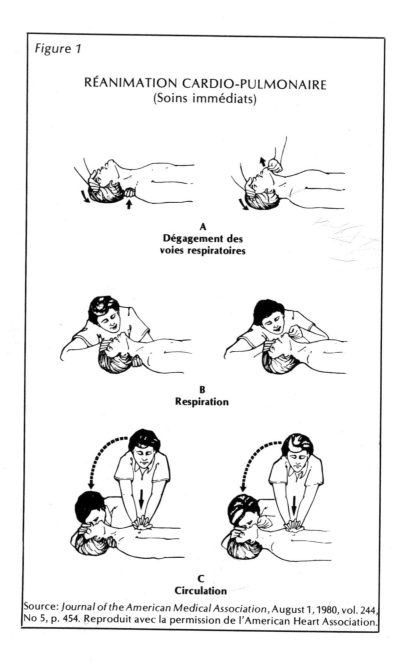

Figure 1

RÉANIMATION CARDIO-PULMONAIRE
(Soins immédiats)

A
Dégagement des
voies respiratoires

B
Respiration

C
Circulation

Source: *Journal of the American Medical Association*, August 1, 1980, vol. 244, No 5, p. 454. Reproduit avec la permission de l'American Heart Association.

c. Les moniteurs de l'électrocardiogramme et comment reconnaître les anomalies du rythme du coeur.

d. La défibrillation du coeur ou, comment utiliser un courant électrique pour redonner au coeur son battement normal.

e. Comment placer un soluté chez une personne souffrant d'arrêt cardiaque.

f. Les médicaments essentiels et utiles lors de la réanimation cardiaque et respiratoire.

g. Comment stabiliser un patient au retour de l'activité du coeur et de la respiration.

h. Comment effectuer un transport sécuritaire du patient réanimé vers un hôpital capable de poursuivre le traitement d'un patient qui vient d'être récupéré d'un arrêt cardiaque.

On peut facilement comprendre lorsque l'on voit le contenu des soins avancés, pourquoi il est réservé à un personnel spécialisé et entraîné.

LORS D'UN DÉCÈS, PRATIQUE-T-ON TOUJOURS LES TECHNIQUES DE RÉANIMATION?

Une personne capable de prodiguer les soins immédiats en réanimation donnera toujours ces premiers soins si elle est devant une victime d'arrêt cardiaque. Décider de ne pas le faire est trop lourd de conséquences et représente une décision médicale. Un médecin peut décider de ne pas procéder à une réanimation dans trois circonstances. Dans le cas où il jugerait que la victime ne présente aucune chance raisonnable de survie, comme ce pourrait être le cas d'une victime d'un accident de la circulation avec blessures tellement graves que le cerveau n'a pas de chance de reprendre vie. Un médecin peut également décider de ne pas réanimer une personne dont la maladie de base est connue comme sans appel; ce serait le cas, par exemple, d'un cancer très avancé. Enfin, si le médecin sait de façon certaine que l'intervalle entre l'arrêt cardiaque et le secours est tellement prolongé que le cerveau ne peut pas récupérer, la réanimation ne sera pas entreprise. Dans tout autre cas, ou dans le doute, la réanimation sera tentée.

Et à quel point cessera-t-on une réanimation? Trois raisons principales incitent à la cesser: la réanimation est réussie, le pouls est revenu et la victime recommence à respirer. Une deuxième circonstance: le réanimateur est épuisé et ne peut poursuivre. Enfin, un médecin juge que tout effort raisonnable a été tenté et tout support additionnel ne peut être utile. Il faut cependant se souvenir que, parfois, des efforts ont été couronnés de succès, après une réanimation de deux heures et plus. La durée seule des manoeuvres n'est pas un critère isolé valable.

QUELS SONT LES RÉSULTATS DE LA RÉANIMATION CARDIO-RESPIRATOIRE?

La probabilité de succès d'une réanimation dépend d'un unique facteur: la rapidité de l'arrivée du secours (Tableau 1). Si le secours est immédiat, près d'une victime sur deux survivra à long terme et pourra poursuivre une vie normale ou quasi normale. Si l'aide retarde de douze minutes ou plus, le décès est certain. Ce pourrait signifier, comme on l'a déjà dit, plus de 4 000 vies sauvées par année au Québec.

Tableau I: Probabilité de survie d'un arrêt cardiaque selon le temps d'arrivée des soins immédiats et avancés.

DÉBUT SOINS IMMÉDIATS	DÉBUT SOINS AVANCÉS	SURVIE %
<4	<8	43
<4	16	10
8 - 12	<16	6
>12	>12	0

Source: *Test book of Advanced Cardia Life Support American Heart Association,* Chap. II, p. 7, 1981. Reproduit avec la permission de l'American Heart Association.

Plusieurs complications d'une réanimation même bien faite sont possibles: fractures de côtes, brisure du poumon, du foie ou de la rate. Celles-ci peuvent être minimisées par l'application de techniques bien comprises. Il ne faut cependant pas oublier qu'aucune de ces complications n'est plus importante que la complication immédiate d'un arrêt du coeur: un décès.

POURQUOI ET COMMENT SE FAMILIARISER AVEC LES TECHNIQUES DE RÉANIMATION?

Lors d'un arrêt cardiaque les chances de survie peuvent être de 80 pour cent dans des situations choisies, de près de 50 pour cent en général si la victime peut être secourue au cours des quatre premières minutes. Chaque minute additionnelle diminue d'au moins 7 pour cent la probabilité de survie. Donc, plus il y aura de personnes capables de donner les soins immédiats de réanimation, meilleure sera la probabilité de survie d'une victime d'un arrêt cardiaque.

La meilleure équipe d'urgence médicale et para-médicale ne vaut jamais le témoin capable de secourir sur-le-champ une victime, à cause du retard de l'équipe d'urgence. En moyenne, la probabilité de survie est deux fois plus grande si une aide immédiate est disponible au lieu de devoir appeler une équipe d'urgence pour prodiguer les soins immédiats. Les soins avancés peuvent alors tarder de quelques minutes supplémentaires sans inconvénients catastrophiques.

Plus de 75 pour cent de la population serait capable d'apprendre les techniques de base ou soins immédiats en réanimation. La Fondation des maladies du coeur sanctionne des cours allant de quatre à 15 heures. Au Québec, on compte plus de 600 instructeurs qualifiés en soins immédiats, répartis dans toutes les régions de la province. Près de 60 000 Québécois maîtrisent aujourd'hui les techniques de base de la réanimation. Environ 6 000 s'ajoutent annuellement à ce nombre. Idéalement, l'apprentissage de la réanimation devrait faire partie intégrée de l'enseignement au niveau secondaire. Dans une région donnée, plus le nombre de sauveteurs est grand, meilleures sont les chances de survie de la victime d'un arrêt cardiaque. Au Québec, l'idéal est encore bien loin d'être atteint.

QUEL EST L'AVENIR DE LA RÉANIMATION?

Faute de voir disparaître la mort subite, la réanimation demeurera essentielle. Les recherches en cours influenceront, dans un avenir rapproché, et nos techniques de réanimation et nos niveaux de succès.

Avec l'arrivée de nouvelles techniques et l'implantation à tous les niveaux de systèmes médicaux d'urgence valables, il est certain qu'un nombre beaucoup plus grand de victimes d'arrêt cardiaque pourront non seulement être ramenées à la vie mais continuer pendant de nombreuses années encore... une vie productive.

Ceci dépendra uniquement de la volonté de la population, du corps médical et des gouvernements. Les premiers, par leur volonté d'apprendre et d'appliquer une technique simple; les deuxièmes par leur volonté d'enseigner des techniques, de superviser la mise en marche et le bon fonctionnement des systèmes de soins médicaux d'urgence. Pour les administrateurs publics, il leur faut se rendre compte que les dollars dépensés à permettre l'élaboration de soins d'urgence sont bien investis. On doit considérer non seulement la valeur morale mais aussi la valeur matérielle d'une personne en santé qui demeure un membre productif de la société.

Chapitre 9

LA CHIRURGIE CARDIAQUE

Docteur André Brassard
Docteur John F. Mathieu

LE PONTAGE AORTO-CORONARIEN

Cette opération dont la fréquence augmente considérablement chaque année a pour but d'accroître le débit ou flot sanguin dans les artères coronaires.

Le coeur est un muscle et doit être irrigué et oxygéné par des artères appelées artères coronaires.

Lorsqu'une plaque d'athérosclérose obstrue une artère coronaire, le débit sanguin diminue proportionnellement à l'importance du blocage appelé sténose.

Au moyen d'un pontage aorto-coronarien, ou de plusieurs pontages, les obstacles dans les artères sont ainsi contournés et le coeur peut recevoir une quantité adéquate de sang oxygéné malgré le blocage. De cette façon, il pourra répondre aux demandes que lui fait l'organisme, par exemple au cours d'un effort, d'une situation de stress, etc.

Les illustrations suivantes décrivent les différentes phases du pontage aorto-coronarien.

GREFFON

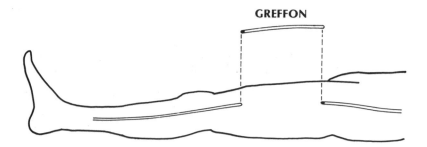

Figure 1
Préparation du greffon à partir de la veine prélevée dans le
membre inférieur.

Figure 2
Au cours de l'opération, le coeur et les poumons sont
remplacés par un oxygénateur et une pompe, ce qui permet
d'effectuer une chirurgie sûre et précise.

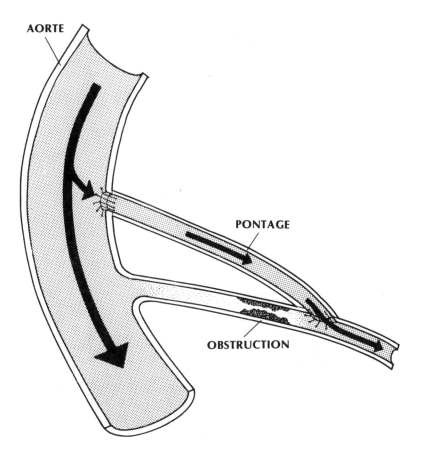

Figure 3
Début de la suture, ou anastomose, du greffon aux parois de l'artère coronaire.

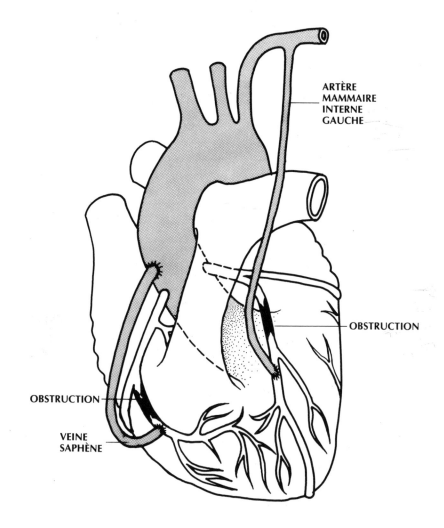

ARTÈRE
MAMMAIRE
INTERNE
GAUCHE

OBSTRUCTION

OBSTRUCTION

VEINE
SAPHÈNE

Résultats

Les résultats du pontage aorto-coronarien, sont actuellement très satisfaisants.

La mortalité opératoire actuelle, dans la majorité des centres où se pratique cette chirurgie, est moins de 2 pour cent. Il est évident que ce taux de mortalité est relié au risque, particulièrement en ce qui regarde la fonction préalable du muscle cardiaque. Les autres facteurs qui augmentent le risque sont: l'état des artères coronaires, la sévérité de l'angine, les infarctus antérieurs, l'état général du patient et les maladies associées, telles que le diabète, l'hypertension artérielle et les maladies respiratoires. Dans un petit nombre de cas, un infarctus peut se produire dans les suites opératoires, la majorité du temps sans complication significative.

De façon générale, on peut dire qu'environ 80 pour cent des pontages demeurent perméables après cinq ans.

Le taux de retour au travail chez les patients opérés avant l'âge normal de la retraite est d'environ 75 pour cent des cas. Le tout dépend évidemment de l'état général avant et après l'opération, de même que du type de travail.

La période de convalescence généralement admise est d'environ trois à quatre mois.

Grâce aux programmes de réadaptation et de conditionnement physique contrôlé, le taux de reprise des activités normales est actuellement très satisfaisant.

Conclusion

Dans l'état actuel, la chirurgie de pontage constitue un moyen efficace de correction de l'insuffisance coronarienne. Les prochaines années apporteront probablement d'autres découvertes qui vont contribuer à diminuer les risques opératoires et les complications.

L'avènement du pontage aorto-coronarien marque un pas considérable dans le traitement moderne des maladies cardio-vasculaires.

LES VALVES

Pourquoi remplacer une valve

Certaines maladies peuvent endommager les valves et perturber leur fonctionnement normal. Les valvules les plus fréquemment atteintes sont la mitrale, l'aortique, parfois les deux (mitro-aortique), occasionnellement la tricuspide, rarement la pulmonaire. Ces lésions peuvent rétrécir la valve et s'opposer au flux sanguin (sténose) ou rendre la valve incompétente (insuffisance) et permettre le reflux ou régurgitation de sang à travers un orifice incomplètement fermé.

Lorsqu'une valve devient sténosée ou insuffisante de façon significative, il faut alors la réparer ou la remplacer. Un remplacement valvulaire nécessite une chirurgie à coeur ouvert (avec emploi du coeur-poumon artificiel) où la valve malade est réséquée et remplacée par une prothèse artificielle (*figure 1*).

Les prothèses valvulaires

Nous disposons de deux types fondamentaux de prothèses:

a. La prothèse dite mécanique faite de matériaux synthétiques solides (pyrolite de carbone, titanium, silastic) (*figure 3 a, b, c, d*).

b. La prothèse dite biologique ou «bioprothèse» faite de tissu organique traité à la manière d'un tannage telles les valves porcines et les valves fabriquées de péricarde de veau (*figure 4 a, b*).

Les prothèses mécaniques sont fabriquées d'une armature supportant un obturateur et un anneau de suture. L'obturateur de la prothèse est soit une bille soit un disque (*figure 3*). La position du disque ou de la bille permet l'ouverture et la fermeture de la valve artificielle. Les bioprothèses sont montées également sur une armature synthétique supportant les feuillets et un anneau permettant leur insertion et leur suture dans le coeur. Ces dernières prothèses s'ouvrent et se ferment de la même manière que les valves naturelles existantes dans le coeur.

À l'opération, il n'est pas toujours nécessaire et il est même parfois préférable de ne pas remplacer une valve endommagée lorsqu'on peut la réparer. On parle alors de «commissurotomie valvulaire» lorsqu'on agrandit l'ouverture valvulaire et de «plastie valvulaire» lorsqu'on rétrécit l'orifice valvulaire.

Résultats

Les risques opératoires de remplacement valvulaire peuvent varier de 2 à 5 pour cent jusqu'à 10 à 12 pour cent selon la condition du coeur au moment où l'on opère. En règle générale, plus le patient est limité dans ses activités par une insuffisance cardiaque, plus le risque opératoire est élevé.

Si un patient survit deux ans après son opération, sa survie par la suite est à peu près identique à celle d'une population générale de même âge et du même sexe. Les résultats immédiats et tardifs de l'opération dépendent grandement de la condition clinique du malade avant son opération. Lorsque le patient est opéré avant que les réserves du coeur ne soient épuisées, les chances de succès sont meilleures et les résultats à long terme sont très bons. En effet, ces opérations, lorsque pratiquées au moment opportun, peuvent grandement améliorer environ 85 pour cent des patients.

À l'heure actuelle, la bioprothèse n'apparaît pas aussi durable que la prothèse mécanique, mais leur durabilité est toujours à l'étude et leur avenir s'annonce prometteur. Toutefois, il faut préciser que le bris d'une prothèse mécanique se manifestera plus brutalement et dangereusement qu'une défectuosité d'une bioprothèse. À l'implantation, le choix se fixera sur l'une ou l'autre selon les critères d'âge du malade, de son rythme cardiaque, et de sa tolérance aux anticoagulants; car le remplacement valvulaire par une prothèse mécanique nécessite l'administration au malade d'anticoagulants à vie.

LES CARDIO-STIMULATEURS

Les blocs AV et leur survie sans cardio-stimulateur

La contraction cardiaque est automatisée et régularisée par une onde d'excitation émanant d'un centre de commande appelé cardio-stimulateur et propagée dans les différents secteurs cardiaques par un système spécialisé appelé tissu de conduction.

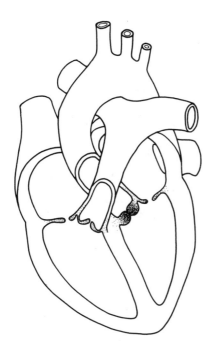

Figure 1
Valvule aortique
sténosée

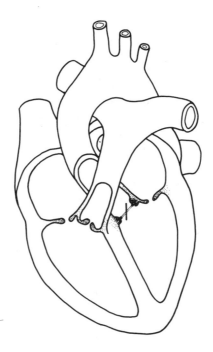

Figure 2
Prothèse à
disque implantée

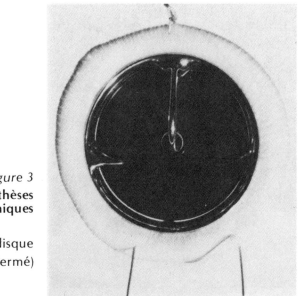

Figure 3
**Prothèses
mécaniques**

a) À disque
(fermé)

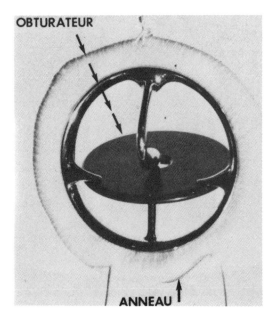

b) À disque
(ouvert)

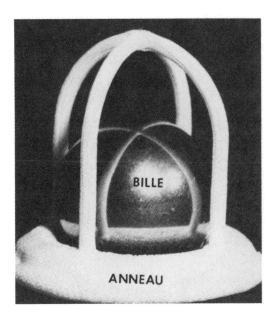

c) À bille
(fermée)

d) À bille
(ouverte)

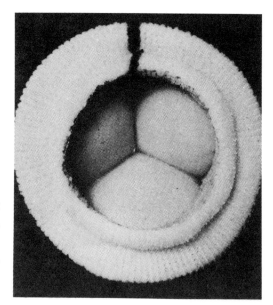

Figure 4
BIOPROTHÈSES

a) Bioprothèse
fermée

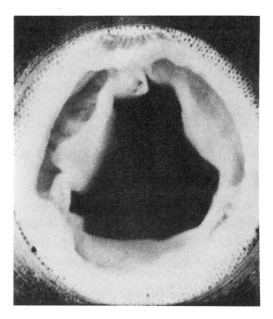

b) Bioprothèse
ouverte

Suite à différentes maladies du coeur, le centre de commande ou noeud sinusal peut faire des pauses et son activité devient trop lente. Fréquemment, la conductibilité de l'excitation entre les oreillettes et les ventricules peut être soit retardée, soit interrompue. On parle alors de bloc auriculo-ventriculaire partiel (incomplet) et de bloc complet (interruption totale).

Le bloc AV complet est le trouble le plus grave puisqu'il aboutit à une dissociation entre la contraction des oreillettes et des ventricules. Les oreillettes sont commandées par le noeud sinusal alors que les ventricules, ne recevant plus les impulsations auriculaires, battent à leur propre fréquence de l'ordre de 30 à 40 par minute. Ce type de bloc est parfois grevé de complications sérieuses qu'on appelle les syncopes cardiaques brutales, avec perte de conscience, chute au sol, et convulsions possibles. Sans cardio-stimulateur, le pronostic dans ce cas est réservé puisque les malades qui présentent ce type de syndrome peuvent mourir subitement à tout instant.

Définition du cardio-stimulateur et les types disponibles

Un cardio-stimulateur est un appareil implantable chez l'humain. Il consiste en une pile (source d'énergie) reliée au coeur par un câble appelé électrode ou sonde et qui envoie des stimulations électriques et accélère le rythme cardiaque (*figure 1*). La pile est habituellement implantée dans les tissus graisseux sous la peau et l'électrode est soit placée dans le coeur par voie veineuse soit directement implantée sur la surface du coeur par une chirurgie (thoracotomie) qui expose cet organe.

La pile peut non seulement déclencher les stimuli électriques pour accélérer le coeur mais elle dispose également d'un mécanisme de détection pour dépister la fréquence propre du coeur. Ce dispositif de détection permet au cardio-stimulateur de fonctionner à demande, c'est-à-dire de stimuler le coeur lorsque son rythme devient inférieur à la fréquence de la pile du cardio-stimulateur. Lorsque la fréquence du coeur dépasse celle du cardio-stimulateur, ce dernier est inhibé et s'arrête temporairement de fonctionner. Ces stimulateurs cardiaques sont appelés synchrones puisqu'ils suivent le rythme cardiaque intrinsèque.

Avec le progrès technologique des dernières années, l'industrie manufacturière a produit le cardio-stimulateur programmable dont différentes fonctions peuvent être modifiées (ou programmées) pour s'adapter aux conditions physiologiques fluctuantes du rythme cardiaque.

Techniques d'implantation et résultats

L'implantation d'un cardio-stimulateur se fait habituellement sous anesthésie locale en pratiquant une petite incision sous la clavicule droite ou gauche (*figure 2*) pour exposer une veine adéquate que l'on ponctionne ou incise pour introduire l'électrode qui est dirigée sous visualisation radiologique jusqu'au niveau du ventricule droit. Lorsque l'électrode est bien en position, elle est reliée à la pile du cardio-stimulateur après les vérifications d'usage. La pile elle-même est ensuite implantée dans une loge qui est pratiquée dans les tissus graisseux sous la peau.

110

Parfois, pour des raisons d'ordre technique ou encore lors d'une chirurgie à coeur ouvert, les électrodes peuvent être implantées directement sur le coeur et sorties à la peau de l'abdomen.

Les résultats de ces implantations sont très bons, même excellents, et le patient devient asymptomatique. Toutefois l'opération n'est pas exempte de certaines complications tels les infec-

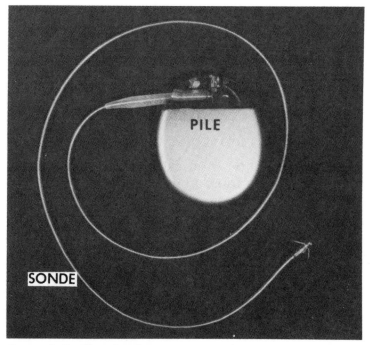

Figure 1 **Cardio-stimulateur**

tions au site de l'opération, les déplacements et les bris de sondes.

En améliorant les matériaux de fabrication et les techniques d'ancrage des sondes, en allongeant la durée moyenne des piles avec de nouvelles sources d'énergie, la recherche a éliminé plusieurs problèmes ci-haut mentionnés. Avec l'expérience croissante des matériaux et des techniques, la fréquence des complications a diminué beaucoup.

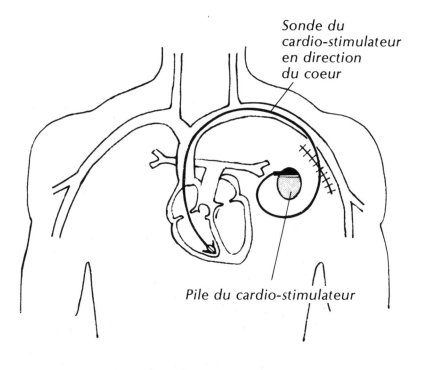

Sonde du cardio-stimulateur en direction du coeur

Pile du cardio-stimulateur

Figure 2 **Cardio-stimulateur posé par voie veineuse**

Chapitre 10

LA CARDIOLOGIE EN ÉVOLUTION

Docteur Martin Morissette

Si l'on reculait de vingt-cinq ans, la plupart des découvertes exposées dans ce volume et qui forment un abrégé des connaissances actuellement acceptées sur le coeur et ses maladies n'existeraient pas encore. Plusieurs chapitres aujourd'hui acceptés comme de la cardiologie courante auraient paru alors un monde encore inaccessible.

On s'apercevait de l'importance de la cigarette, de la haute pression et du cholestérol dans l'évolution des maladies cardiaques. Le cathétérisme cardiaque et la coronarographie en étaient au niveau de la recherche non encore applicable en pratique. La réanimation cardiaque était encore inconnue. Le pontage aorto-coronarien, les valves artificielles et les cardiostimulateurs n'existaient pas.

Le chapitre actuel veut tirer le rideau et présenter quelques-unes des recherches actuellement en cours et qui semblent pouvoir devenir des outils intéressants de la cardiologie des prochaines années. On parlera de quatre techniques qui se situent actuellement à des stades divers de recherche clinique:

— Jusqu'à quel point la DILATATION CORONA-RIENNE PAR BALLON semble-t-elle pouvoir remplacer la chirurgie des artères du coeur?
— Peut-on DISSOUDRE UN CAILLOT dans une artère du coeur et prévenir un infarctus?
— Quel espoir la TRANSPLANTATION CARDIA-QUE représente-t-elle pour une personne dont le coeur est atteint d'une maladie qui ne pardonne pas?
— Existe-t-il un espoir du côté du COEUR ARTIFI-CIEL?

LA DILATATION CORONARIENNE

Depuis quelque temps, on entend parler d'une méthode de traitement des artères du coeur qui pourrait remplacer le pontage aorto-coronarien: la dilatation coronarienne. De quoi s'agit-il exactement? Qui peut profiter de cette méthode de traitement? Quels en sont ses résultats et ses problèmes? Existe-t-il un avenir pour la dilatation coronarienne?

On se souviendra que le problème de base qui cause les serrements dans la poitrine lors de l'effort et les infarctus est l'athérosclérose. Celle-ci ressemble à de la rouille dans des tuyaux, se localise entre autres dans les artères du coeur, souvent près de leur origine. Elle prévient un flot suffisant de sang dans la portion du coeur nourrie par l'artère atteinte (*figure 1*). Ce manque se fait sentir surtout lorsque les dépenses du coeur augmentent comme au cours d'un exercice.

114

Pour corriger ce défaut, la chirurgie de pont entre l'aorte et l'artère coronaire après le blocage fut mise au point il y a plus de dix ans.

En 1977, le professeur Andreas Gruntzig réussissait pour la première fois, chez l'homme, à rouvrir une artère coronaire sans intervention chirurgicale. Il utilisait un petit tube (cathéter) muni d'un ballon à son extrémité pour dilater le segment bloqué d'une artère coronarienne (*figure 1*). Ainsi la circulation peut reprendre son cours normal et les douleurs dans la poitrine ne réapparaissent plus après une dilatation réussie. Le tout se fait par une ponction au niveau de l'aine. Quelques jours plus tard, la personne fait déjà de l'exercice et elle pourra reprendre son travail dans les jours suivants.

Figure 1 **La dilatation coronarienne**
De gauche à droite:
1. le cathéter est placé juste au-dessus du blocage;
2. celui-ci est passé à travers la lésion;
3. le ballon est gonflé;
4. le ballon est dégonflé et retiré, l'artère est dilatée.

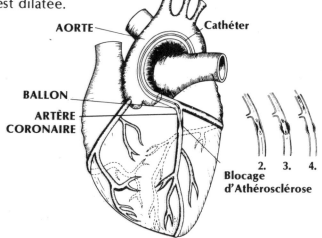

Depuis lors, quelques milliers de personnes ont déjà reçu ce mode de traitement, permettant de mieux définir qui peut profiter de la dilatation coronarienne, quels résultats on peut en attendre et quels en sont les dangers.

Le candidat idéal pour la dilatation coronarienne est une personne qui présente des douleurs de serrement dans la poitrine lors de l'effort depuis seulement quelques mois. Le blocage idéal se situe près du début de l'artère coronaire, n'est pas induré, ne doit pas se situer dans une courbe trop aiguë de l'artère et ne doit pas être trop long. Ces caractéristiques rendent élevée la probabilité de succès. Évidemment, plus le rétrécissement s'éloigne de l'idéal moins la probabilité de succès est grande et à la limite une dilatation ne sera même pas tentée.

La personne chez qui ce genre d'intervention sera faite devrait n'avoir qu'une seule artère coronaire atteinte ou tout au plus deux. Si plus d'une artère est bloquée, la chirurgie est en général préférable. Actuellement, on considère que la dilatation peut être offerte, au lieu du pontage aorto-coronarien, à 10 pour cent environ des personnes qui devraient être opérées. Ce n'est définitivement pas, à ce point, la fin de la chirurgie.

Lorsqu'il semble possible de faire une dilatation, la probabilité de bon résultat immédiat est d'environ 80 pour cent. Le taux de succès peut varier de 65 à 90 pour cent selon l'expérience du milieu et les critères utilisées pour distinguer un succès d'un échec.

Un échec peut également être d'importance variable. Le risque de décès existe, mais est inférieur à 1 pour cent. Environ une dilatation sur vingt se terminera par un pontage aorto-coronarien d'urgence. Malgré un succès immédiat, un sur quatre verra réapparaître le serrement dans la poitrine, à l'effort, au cours des six mois qui suivront une dilatation réussie. Ceci est dû à la refermeture du blocage dilaté. Ce blocage tardif pourra fréquemment être redilaté avec succès ultérieur prolongé.

La dilatation coronarienne en est encore à ses débuts. Les progrès sont rapides. Le taux de succès est passé de 65 à plus de 90 pour cent dans plusieurs centres. Pour la personne chez qui cette technique est un succès, elle sera soulagée immédiatement et pourra être de retour à sa vie normale en moins d'une semaine. Elle aura évité de justesse une opération majeure avec son fardeau de conséquences tant physiques que psychologiques. Pour elle, le risque d'une redilatation ultérieure paraîtra une rançon bien minime.

PEUT-ON DISSOUDRE UN CAILLOT DANS UNE ARTÈRE DU COEUR ET ENRAYER LES DOMMAGES D'UN INFARCTUS?

Au cours des vingt dernières années, le traitement de l'infarctus du myocarde s'est attaqué aux conséquences d'une artère du coeur qui s'obstrue subitement. Le devenir de la personne atteinte d'un infarctus s'est significativement amélioré, passant d'une probabilité de survie de 70 à 90 pour cent. Ce gain est important si l'on considère que la maladie des artères du coeur représente la première cause de décès en Amérique du Nord.

Au cours des toutes dernières années, un nouvel espoir est apparu à la suite d'une grande étude européenne portant sur une substance capable de dissoudre un caillot chez un être vivant lorsque injectée dans une veine. Elle se nomme la Streptokinase. Dans cette étude, on démontre que si ce médicament est injecté au cours des premières heures d'un infarctus aigu, la probabilité de survie à six mois est deux fois plus grande que chez les malades qui ne l'ont pas reçu.

C'était le début! Maintenant on peut s'attaquer à la cause du problème: l'artère bloquée, raison de la destruction d'une partie du coeur et non plus seulement parer les conséquences. Simultanément de nombreux groupes de chercheurs ont entrepris une nouvelle étude: monter un cathéter à partir de l'aine jusqu'au site même de l'artère du coeur où se trouve le caillot. La Streptokinase est alors injectée directement sur le caillot qui fond (*figure 2*) alors en quelques minutes: souvent en moins de cinq minutes.

La personne qui, au cours d'un infarctus, entre dans la salle de traitement voit disparaître ses douleurs intenses dès que le blocage se lève. La pression sanguine reprend et la portion du coeur qui ne bougeait plus reprend aussitôt une activité.

Pour être efficace, cette technique pose deux conditions essentielles et souvent difficiles à remplir. Le traitement doit être instauré le plus tôt possible après le début des douleurs dans la poitrine: autant que possible au cours des trois premières heures. Très souvent le candidat est vu trop tard.

Figure 2 **La dissolution d'un caillot récent**
De gauche à droite:
1. le cathéter est placé en regard du caillot;
2. la streptokynase est infusée;
3. l'artère est recouverte.

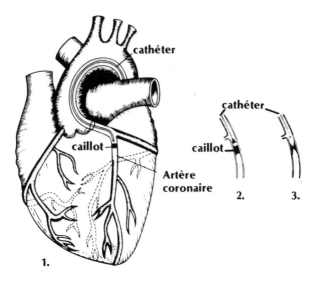

D'autre part, une fois dissous le caillot, l'artère demeure en général avec un blocage important et le risque de refermeture est élevé si, à ce traitement de départ, on n'associe pas une dilatation de l'artère ou un pontage aorto-coronarien.

Malgré ces limites, la technique de dissolution du caillot peut accomplir ce qui aurait été considéré comme impossible, il n'y a même pas cinq ans: redonner le mouvement à une portion du coeur vouée à la disparition.

119

LA TRANSPLANTATION CARDIAQUE

En 1967, le Docteur Christian Barnard réalisait la première transplantation cardiaque chez l'homme à Cape Town, en Afrique-du-Sud. Peu de découvertes médicales ont engendré un enthousiasme tout aussi irréaliste que le désaveu qui a suivi.

La transplantation cardiaque a cependant continué, à bas bruit, à faire son chemin, de sorte que son rôle, ses limites et ses difficultés sont beaucoup mieux compris aujourd'hui.

On sera peut-être un peu surpris d'apprendre que la survie des transplantations cardiaques égale maintenant celle des meilleurs centres de transplantation de reins, même si cette dernière est beaucoup plus répandue. Les résultats récents montrent qu'un transplanté cardiaque a une probabilité de survie à un an de 70 pour cent et de 50 pour cent à cinq ans.

Un patient survit encore après plus de dix ans. Ces résultats paraîtront d'autant plus extraordinaires si l'on considère que les 47 candidats répondant à tous les critères et acceptés pour transplantation, mais chez qui un donneur n'a pas pu être trouvé sont tous décédés en moins d'un an. Plus de 90 pour cent ne survivent même pas trois mois, démontrant la gravité de la maladie des sujets acceptés pour transplantation.

Pour être considéré candidat à une transplantation cardiaque, il faut souffrir d'une maladie cardiaque mortelle, avancée, et qui ne peut être traitée par aucune autre méthode. Plus la personne est jeune, plus la probabilité de bons résultats est élevée. Avant 40 ans, la probabilité de survie après trois ans est de 60 pour cent alors qu'elle est inférieure à 20 pour cent si le candidat dépasse 50 ans. Une personne de plus de 50 ans ne sera pas en général considérée pour transplantation cardiaque. Les personnes psychologiquement instables s'adapteront bien péniblement au stress de cette chirurgie et au traitement qui suivra. Elles représentent pour cette cause de bien pauvres candidats à cette chirurgie difficile.

Le problème suivant sera celui de trouver un donneur compatible. Ce sera actuellement possible environ trois fois sur quatre. À peu près 25 pour cent mourront avant qu'un coeur où la probabilité de rejet n'est pas trop élevée devienne disponible. Le coeur proviendra d'une personne de 35 ans ou moins, sans maladie cardiaque, dont le cerveau a été détruit le plus souvent par un accident.

L'opération représente évidemment l'acte central, qui n'est cependant pas une chirurgie complexe et spécialement difficile. Un décès dû à l'opération elle-même est très rare.

À ce point, trois complications majeures limitent la survie après la transplantation cardiaque. Le plus grand problème demeure encore le rejet. Le corps est ainsi fait que s'il reconnaît en lui une substance considérée comme ne faisant pas partie de lui-même, des mécanismes complexes entrent en action afin de détruire et exclure du corps cet étranger. Il s'agit d'un mécanisme de défense normal du corps humain, luttant pour sa survie. C'est une protection importante contre l'infection, par exemple. Cependant, si ce mécanisme s'attaque à un coeur transplanté, un traitement intensif s'impose et le risque de catastrophe est bien présent.

Un transplanté recevra donc des médicaments afin de prévenir le rejet. Ces substances diminuent en même temps les capacités de défense contre les infections. Ces dernières deviennent un problème fréquent et majeur du transplanté. Des nouvelles substances nous promettent un contrôle plus adéquat et peuvent influencer notre thérapeutique.

L'apparition rapide d'une maladie marquée des artères du coeur représente un troisième problème important après transplantation.

Il ne fait pas de doute que, malgré ses problèmes, la transplantation cardiaque représente une alternative valable, face à une maladie cardiaque mortelle et avancée, chez une jeune personne.

LE COEUR ARTIFICIEL

Un coeur totalement artificiel capable de remplacer le coeur naturel permettrait de contourner plusieurs problèmes de la transplantation cardiaque: le manque de donneur, le rejet et les complications dues aux médicaments administrés en vue de prévenir le rejet. Si on développait un coeur mécanique capable de supporter la vie efficacement et de façon prévisible, même pour seulement quelques mois ce serait déjà un gain majeur. Il permettrait au candidat à la transplantation de pouvoir survivre en sécurité jusqu'au jour où on trouverait un donneur dont le coeur est compatible avec son organisme. Lors d'une crise majeure de rejet, le coeur artificiel pourrait encore prendre la place et supporter jusqu'à ce qu'un nouveau coeur puisse être disponible, exactement comme fait actuellement le rein artificiel chez les candidats à la transplantation rénale.

Les perspectives d'avenir du coeur artificiel sont déjà beaucoup meilleures qu'elles semblaient l'être il y a seulement 10 ans. À cette période, aucun animal receveur d'un coeur artificiel n'avait survécu pour plus de trois jours. Le record d'aujourd'hui est de plus de sept mois. Le progrès moyen des cinq dernières années représente un gain d'un mois de survie par année.

Chez l'homme il existe de très rares essais d'utilisation d'un coeur mécanique et ce, pour des périodes très brèves, en l'attente de transplantation.

Avant de devenir utilisable sur une échelle plus étendue, un certain nombre de problèmes restent encore à résoudre. La production d'une source d'énergie (*figure 3*) suffisamment petite et portative pour assurer un niveau raisonnable d'autonomie. Les problèmes de calcification de la chambre de contraction demeurent à clarifier, mais peuvent être relativement mineurs chez l'adulte. Les problèmes d'infection sont encore fréquents et majeurs.

Une fois résolues toutes ces difficultés, et ce semble, à ce point-ci, clairement possible d'ici quelques années, on aura à faire face à une question de dimension majeure: pour qui cet instrument? Si l'on considère que près d'un décès sur deux dans notre milieu est dû au système cardiovasculaire, on peut soupçonner l'ampleur du nouveau problème humain généré et ses conséquences économiques.

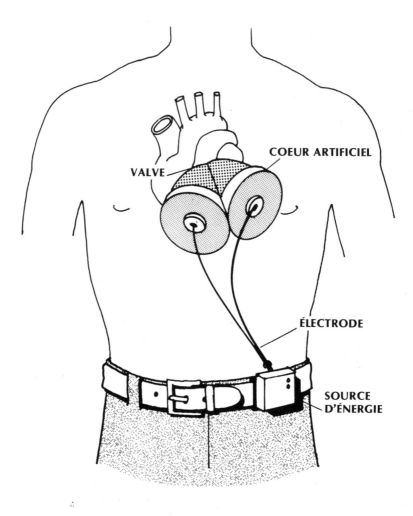

Figure 3 **Le coeur artificiel**
Le coeur artificiel devra comporter une double pompe
remplaçant les ventricules du coeur original, un système de
valves, une source d'énergie suffisamment petite pour être
portative et une électrode transmettant l'énergie à la pompe.

Traiter de la cardiologie en évolution comporte un élément fascinant: il permet de présenter des perspectives d'avenir sans les restrictions imposées lors de la description de connaissances plus complètement acquises. D'autre part, il s'agit d'un sol spécialement mouvant. Ce qui est vrai aujourd'hui a de fortes chances de devenir rapidement dépassé. Les chercheurs, centrant leurs efforts sur ces secteurs de la cardiologie encore en construction, de nouvelles données transformant le tableau apparaissent plusieurs fois par mois.

Dans les limites de nos connaissances actuelles, il est fort probable que la dilatation coronarienne s'établira comme une acquisition médicale stable dans un avenir rapproché.

La possibilité de dissoudre un caillot frais dans une artère du coeur et de prévenir un infarctus existe. Son rôle exact en cardiologie reste encore, en grande partie, à définir.

La transplantation cardiaque est possible. Beaucoup de progrès sont déjà réalisés. Elle deviendra probablement une technique acceptée pour certaines indications bien définies.

Beaucoup reste à faire avant que l'utilisation du coeur mécanique puisse être considérée comme une alternative valable dans le traitement de maladies cardiaques avancées.

TABLE DES MATIERES

PREFACE 5

CHAPITRE 1
    Le cœur : sa structure et son fonctionnement   9

CHAPITRE 2
    La maladie cardiaque : la survie et le progrès
    des dernières années 19

CHAPITRE 3
    La cigarette et les autres facteurs de risque
    de maladie cardiaque 25

CHAPITRE 4
    Angine de poitrine et infarctus du myocarde ..   37

CHAPITRE 5
    La prévention des maladies cardiaques   51

CHAPITRE 6
    La réintégration du cardiaque dans la société ..   67

CHAPITRE 7
    Le cathétérisme cardiaque et la coronarographie   79

CHAPITRE 8
    La réanimation cardio-respiratoire   87

CHAPITRE 9
    La chirurgie cardiaque 97

CHAPITRE 10
    La cardiologie en évolution 113

DANS LA MÊME COLLECTION

Dr W.G. WEST :

COMMENT VAINCRE LE STRESS

Fini le stress ! La détente enfin à votre portée !

Qu'est-ce que le stress, quelles en sont les causes, comment nous affecte-t-il, comment le surmonter ? Telles sont quelques-unes des questions auxquelles le Docteur West répond de manière claire et simple. A l'aide de tests faciles, il explique aussi les moyens de vaincre le stress en fonction de votre type de personnalité.

Grâce à ce livre, apprenez à vivre votre vie amoureuse, familiale et professionnelle de manière nouvelle et découvrez enfin le plaisir d'être détendu !

J. LAURAC ET D. CHARTRAND :

LA BIORYTHMIE, rendue facile

Chacun est conscient d'avoir de « bons » et de « mauvais » jours, des périodes favorables, d'autres critiques. C'est qu'en chacun de nous existe une « horloge » biologique qui a été mise en marche au moment de la naissance et ne s'arrêtera qu'à la mort. Sa fonction primordiale est de régulariser nos rythmes physique, émotif et mental. C'est ce que nous fait découvrir la biorythmie.

Grâce à ce livre, vous pouvez, par un calcul très simple, mesurer d'avance la courbe de vos trois cycles. Votre biorythme vous ouvrira de vastes possibilités, vous permettra de mieux vous connaître, d'améliorer vos relations professionnelles et amoureuses.

Evelyne DHELIAT :

VIVRE EN FORME

Vous trouverez dans ce volume la solution à vos problèmes, avec des exercices variés et faciles d'exécution pour chaque partie de votre corps, des exercices nouveaux que vous pouvez même aisément intégrer dans vos actions de tous les jours, grâce à la recherche de nouvelles applications de mouvements.

Jean-Claude BOURRET :

LES FANTASTIQUES SECRETS DE LA MÉDECINE CHINOISE OU GUERIR PAR L'ACUPUNCTURE

Pour la première fois, une équipe composée de six médecins acupuncteurs et d'une sage-femme explique les secrets de la médecine orientale, ses pouvoirs, mais aussi ses limites. Jean-Claude Bourret travaille avec eux depuis deux ans et a réalisé dans cette grande enquête une passionnante fresque, qui va de l'origine de la civilisation chinoise aux résultats actuels de la médecine orientale.

Un ouvrage très documenté, agréable et facile à lire, où chaque maladie est traitée dans un chapitre détaillé.

Du même auteur : **Maigrir en mangeant à volonté. Le défi de la médecine par les plantes.**

S. COLLINS :

LA DÉTENTE SENSUELLE

La détente est la véritable clé de la sensualité. Car pour jouir de toutes ses possibilités sensorielles, qui sont extraordinaires, le corps a besoin d'être libéré des tensions innombrables de la vie moderne. En fait, apprendre à être à l'écoute de son corps, de ses besoins et de ses lois, par la relaxation profonde, peut transformer une vie minée par le stress quotidien. Maux de tête, insomnies, troubles digestifs, manque de concentration, nervosité, angoisse, absence de désir, impuissance, frigidité, tous ces maux de notre siècle peuvent être combattus efficacement.

Des exercices pratiques, des méthodes, simples et efficaces vous permettront de trouver aisément une déconcentration musculaire (cou, dos, reins...) et psychologique.

Docteur DUPUIS :

CE SACRÉ MAL DE DOS

Dans cet ouvrage très bien illustré, l'auteur nous explique comment protéger et renforcer notre dos par de saines habitudes et des exercices tout simples, que chacun de nous peut intégrer aisément dans sa vie quotidienne. L'auteur répond à nos questions sur le bien-fondé de lieux communs, tels que l'usage d'un matelas dur ou le port de talons hauts.

Docteur ROGER :

S'ARRÊTER DE FUMER

Après avoir rappelé les dangers connus ou inconnus du tabac, le docteur Jean-Luc Roger donne au lecteur désireux de cesser de fumer des moyens appropriés et efficaces. La méthode proposée tient compte des facteurs psychologiques et physiologiques qui sont liés à l'acte de fumer et introduit des techniques complémentaires — hygiéniques, diététiques et médicales — de désintoxication. S'y ajoutent une remise en ordre du système nerveux par la relaxation, une réorganisation du rythme de vie et des soins naturels tels que l'hydrothérapie ou les effluves aromatiques.

Professeur André GORINS :

COMPRENDRE ET SOIGNER VOS SEINS

Le Docteur André Gorins, Professeur au Collège de Médecine des Hôpitaux de Paris, est un gynécologue et un endocrinologue de réputation internationale. Il mène depuis plus de vingt ans un combat acharné contre le cancer du sein, et est un ardent défenseur de son diagnostic précoce et d'un traitement aussi conservateur que possible.

Ce livre est le témoignage de son expérience et du désir de communiquer sa foi et ses idées à toutes celles qui, nombreuses, s'intéressent à leur poitrine.

Achevé d'imprimer sur les presses des Etablissements Dalex à Montrouge (92120)

1er trimestre 1984

Dépôt légal n° 1688